--------- TOUS À TABLE ! ---------

Cuisine

VÉGÉTARIENNE

LA GOURMANDISE
EST DANS LE PRÉ !

LAROUSSE

21 rue du Montparnasse 75283 Paris Cedex 06

Sommaire

SOUPES & VELOUTÉS

Soupe aux pois chiches, aux carottes et aux haricots verts

Pour 4 personnes

Préparation et cuisson : 30 min

1 gousse d'ail
1 gros oignon
2 grosses carottes
1 cuill. à soupe d'huile végétale
1 cuill. à café de gingembre râpé
1 cuill. à soupe de garam masala
(mélange d'épices indien)
85 cl de bouillon de légumes
400 g de pois chiches en conserve
100 g de haricots verts

1 Hachez l'ail et l'oignon. Coupez les carottes en quatre dans le sens de la longueur puis en petits morceaux. Dans une casserole de taille moyenne, mettez l'huile à chauffer. Faites-y revenir l'ail, l'oignon et le gingembre pendant 2 minutes, puis ajoutez le garam masala. Laissez cuire 1 minute, puis ajoutez le bouillon et les carottes. Faites mijoter 15 minutes. Égouttez et rincez les pois chiches, puis versez-les dans la casserole.

2 Mixez légèrement à l'aide d'un robot. Coupez les haricots verts en morceaux et ajoutez-les dans la soupe. Laissez mijoter 3 minutes, puis servez dans des bols.

Soupe aux légumes de printemps et aux haricots blancs

Pour 2 personnes
Préparation et cuisson : 25 min

2 poireaux
100 g de haricots verts
1 grosse courgette
3 tomates mûres
1 cuill. à soupe d'huile d'olive
1,5 l de bouillon de légumes
400 g de haricots blancs
en conserve
25 g de vermicelles
sel et poivre du moulin

POUR LE PESTO
1 gousse d'ail
25 g de basilic frais
25 g de pistaches
ou de pignons de pin
25 g de parmesan râpé
2 cuill. à soupe d'huile d'olive
1/2 cuill. à café de sel

POUR SERVIR
pain croustillant (facultatif)

1 Lavez les poireaux puis hachez-les. Coupez les haricots verts en deux et la courgette en dés. Épépinez les tomates puis émincez-les.

2 Dans une casserole, mettez l'huile à chauffer. Faites-y revenir les poireaux jusqu'à ce qu'ils soient tendres. Ajoutez les haricots verts, la courgette et le bouillon. Salez, poivrez, puis laissez mijoter à couvert pendant 5 minutes.

3 Pendant ce temps, préparez le pesto. Écrasez l'ail et mixez-le avec les autres ingrédients dans le bol d'un robot.

4 Égouttez et rincez les haricots blancs. Incorporez-les dans la casserole avec les tomates et les vermicelles. Laissez mijoter 5 minutes. Ajoutez la moitié du pesto dans la soupe. Versez-la dans des bols à l'aide d'une louche. Décorez avec le reste du pesto et, si vous le souhaitez, servez avec du pain croustillant.

Soupe de légumes d'automne

Pour 4 personnes
Préparation et cuisson :
de 30 à 40 min

1 poireau
2 carottes
1 pomme de terre
1 gousse d'ail
quelques brins de romarin
40 cl de bouillon de légumes
1/2 cuill. à café de sucre en poudre
800 g de tomates pelées en conserve
400 g de pois chiches en conserve
3 cuill. à soupe de persil frais
sel et poivre du moulin

POUR SERVIR
croûtons ou tartines grillées
au fromage fondu (facultatif)

1 Émincez le poireau, les carottes, épluchez et émincez la pomme de terre puis déposez ces légumes dans une grande casserole ou un faitout. Hachez finement l'ail puis ajoutez-le avec le romarin, le bouillon et le sucre. Salez, poivrez, mélangez bien et faites chauffer. Quand le mélange commence à frémir, couvrez et laissez mijoter 15 minutes, jusqu'à ce que les légumes soient cuits.

2 Réduisez les tomates en purée dans le bol du mixeur ou au mixeur plongeant, puis incorporez-les aux légumes. Égouttez et rincez les pois chiches, hachez le persil puis ajoutez le tout aux légumes. Faites chauffer à feu doux, en remuant de temps en temps. Rectifiez l'assaisonnement et servez bien chaud, éventuellement avec des croûtons ou des tartines grillées au fromage fondu.

Minestrone printanier

Pour 4 personnes

Préparation et cuisson : 10 min

200 g de légumes mélangés (asperges,
fèves et oignons blancs)
70 cl de bouillon de légumes chaud
150 g de pâtes
200 g de fèves en conserve
3 cuill. à soupe de pesto

1 Versez les légumes dans une poêle moyenne
et arrosez-les de bouillon. Portez à ébullition,
puis baissez le feu et laissez mijoter 5 minutes
environ, jusqu'à ce que les légumes soient
bien cuits.

2 Faites cuire les pâtes. Pendant ce temps, rincez
puis égouttez les légumes. Égouttez les pâtes
et mélangez-les dans la poêle avec les légumes
et 1 cuillerée à soupe de pesto. Réchauffez
le tout et servez dans des bols ou des assiettes
avec le reste de pesto.

Soupe marocaine aux pois chiches

Pour 4 personnes
Préparation et cuisson :
de 20 à 25 min

1 cuill. à soupe d'huile d'olive
1 oignon moyen
2 branches de céleri
2 cuill. à café de cumin en poudre
60 cl de bouillon de légumes
400 g de tomates à l'ail en conserve,
coupées en cubes
400 g de pois chiches en conserve
100 g de fèves surgelées
le jus de 1/2 citron
poivre du moulin

POUR SERVIR
le zeste de 1/2 citron
1 beau bouquet de persil
ou de coriandre
pains pitas (pains indiens)

1 Mettez l'huile à chauffer dans une grande casserole ou un faitout, émincez l'oignon et le céleri et faites-les revenir 10 minutes, en remuant fréquemment, jusqu'à ce qu'ils soient tendres. Incorporez le cumin et faites revenir 1 minute supplémentaire.

2 Augmentez la température, puis versez le bouillon et les tomates. Égouttez et rincez les pois chiches, puis ajoutez-les ; poivrez. Laissez mijoter 8 minutes. Ajoutez les fèves et le jus de citron et prolongez la cuisson 2 minutes.

3 Rectifiez l'assaisonnement si nécessaire. Servez dans des bols individuels avec le zeste de citron, les herbes hachées, et accompagnez de pains pitas.

Soupe à la carotte et à la coriandre

Pour 4 personnes

Préparation et cuisson : 40 min

1 oignon
1 pomme de terre
450 g de carottes
1 cuill. à soupe d'huile végétale
1 cuill. à café de coriandre en poudre
1,5 l de bouillon de légumes
30 g de feuilles de coriandre
sel et poivre du moulin

1 Hachez grossièrement l'oignon, la pomme de terre et les carottes. Mettez l'huile à chauffer dans une grande casserole, puis faites frire l'oignon pendant 5 minutes. Ajoutez la pomme de terre, la coriandre en poudre, et laissez cuire 1 minute. Incorporez les carottes et le bouillon de légumes au mélange, puis portez à ébullition. Baissez le feu et prolongez la cuisson de 20 minutes à couvert.

2 Transvasez la préparation dans le bol d'un robot. Ajoutez les trois quarts de la coriandre dans le bol et mixez jusqu'à l'obtention d'une soupe lisse. Versez-la dans la casserole, puis assaisonnez-la selon votre goût. Réchauffez la soupe et répartissez-la dans quatre bols. Parsemez des feuilles de coriandre restantes, puis servez.

Soupe asiatique aux champignons et aux pois gourmands

Pour 4 personnes

Préparation et cuisson : 25 min

200 g de champignons de Paris
140 g de pois gourmands
3 oignons nouveaux
1 cuill. à café d'huile d'arachide
1 ou 2 cuill. à soupe de pâte
de curry vert
70 cl de bouillon de légumes
30 cl de lait de coco allégé
200 g de nouilles de riz plates
100 g de germes de soja
1½ cuill. à soupe de sauce
nuoc-mâm (à base de poisson)
le jus de 1 citron vert

POUR SERVIR
quelques feuilles de menthe
et de coriandre

1 Nettoyez les champignons, émincez-les, puis coupez les pois gourmands en deux dans la longueur. Émincez les oignons.

2 Faites chauffer une grande casserole à feu moyen, puis versez l'huile et faites revenir la pâte de curry pendant 1 minute. Mouillez avec le bouillon de légumes et le lait de coco. Portez à ébullition, puis réduisez le feu. Ajoutez les nouilles et laissez frémir 7 minutes à feu doux. Incorporez les champignons et les pois gourmands, puis prolongez la cuisson de 3 minutes. Complétez avec les germes de soja, la sauce nuoc-mâm et le jus de citron vert. Retirez la casserole du feu.

3 Transvasez la soupe dans deux bols, puis ajoutez les oignons. Parsemez de menthe et de coriandre, puis servez.

Soupe thaïe aux légumes

Pour 4 personnes
Préparation et cuisson : 25 min

2 carottes
3 oignons nouveaux
6 tomates cerises
1 ½ cuill. à soupe de pâte
de curry thaï rouge
1 cuill. à café d'huile végétale
1 l de bouillon de légumes
40 cl de lait de coco en conserve
2 cuill. à café de sucre roux
175 g de nouilles aux œufs
1/2 chou chinois
150 g de germes de soja
1 citron vert
sel et poivre du moulin

POUR SERVIR
quelques feuilles de coriandre

1 Pelez les carottes et coupez-les en bâtonnets. Tranchez les tomates en deux. Coupez les oignons en deux, puis émincez-les finement dans le sens de la longueur. Dans une grande poêle ou dans un wok, mettez la pâte de curry et l'huile à chauffer pendant 1 minute. Incorporez le bouillon de légumes, le lait de coco et le sucre, puis laissez frémir 3 minutes.

2 Ajoutez les nouilles, les carottes et le chou chinois. Prolongez la cuisson de 6 minutes, puis incorporez les germes de soja et les tomates à la préparation. Pressez le citron vert. Versez quelques gouttes du jus dans la soupe, selon votre goût, et rectifiez éventuellement l'assaisonnement. Servez dans des bols, puis parsemez d'oignons nouveaux et de coriandre.

Soupe de patates douces au romarin

Pour 4 personnes
Préparation et cuisson : 35 min

750 g de patates douces
1 oignon
2 gousses d'ail
2 cuill. à café d'huile d'olive
1 l de bouillon de légumes
1 brin de romarin
sel et poivre du moulin

POUR SERVIR
pain croustillant
quelques feuilles de romarin

1 Pelez et coupez les patates douces en petits dés. Hachez l'oignon et l'ail. Dans une grande casserole, mettez l'huile à chauffer, puis faites revenir l'oignon pendant 5 minutes, jusqu'à ce qu'il soit translucide. Ajoutez l'ail et prolongez la cuisson de 1 minute. Incorporez les patates douces, versez le bouillon dans la casserole et portez à ébullition. Effeuillez le romarin et parsemez-en la préparation. Laissez mijoter pendant 10 minutes, jusqu'à ce que les patates douces soient tendres.

2 Mixez la soupe à l'aide d'un robot et, si nécessaire, ajoutez un peu d'eau chaude ou de bouillon. Assaisonnez généreusement. Servez dans des bols chauds, avec du pain et du romarin.

Velouté de tomates au pesto

Pour 4 personnes
Préparation et cuisson : 25 min

2 gousses d'ail
15 g de beurre ou 1 cuill. à soupe
d'huile d'olive
5 tomates séchées au soleil à l'huile
1,5 kg de tomates concassées
en conserve
50 cl de bouillon de légumes
1 cuill. à café de sucre en poudre
15 cl de crème fraîche
sel et poivre du moulin

POUR SERVIR
125 g de pesto
quelques feuilles de basilic

1 Pelez l'ail, puis écrasez-le. Mettez une poêle à chauffer et laissez fondre le beurre. Faites revenir l'ail à feu doux pendant quelques minutes. Hachez grossièrement les tomates séchées, puis ajoutez-les dans la casserole avec les tomates concassées, le bouillon, le sucre, du sel et du poivre. Portez à petite ébullition et laissez bouillonner 10 minutes.

2 Mixez la soupe à l'aide d'un mixeur plongeant en ajoutant progressivement la moitié de la crème aigre. Goûtez, puis ajoutez du sucre, si nécessaire. Versez la soupe dans les bols et décorez chaque bol d'une spirale de pesto. Ajoutez le reste de la crème aigre, parsemez de basilic, puis servez.

Soupe de légumes-racines aux oignons frits

Pour 4 personnes
Préparation et cuisson : 1 h

2 oignons
3 cuill. à soupe d'huile végétale
1 cuill. à café de graines de moutarde
1 cuill. à café de graines de cumin
3 carottes
2 pommes de terre
2 poireaux
2 panais
2 ou 3 cuill. à café de pâte de curry
1,5 l de bouillon de légumes
250 g de yaourt nature

POUR SERVIR
coriandre ou persil haché

1 Pelez les oignons, coupez-les en deux dans la hauteur, puis émincez-les dans la longueur. Mettez 2 cuillerées à soupe d'huile à chauffer dans une grande casserole et faites frire la moitié des oignons. Ajoutez les graines de moutarde et de cumin, puis prolongez la cuisson de quelques minutes.

2 Pelez les carottes et les pommes de terre. Émincez les poireaux et les carottes, puis hachez les pommes de terre et les panais. Incorporez le tout dans la casserole avec la pâte de curry. Versez le bouillon dans la casserole, puis portez à ébullition et laissez mijoter 30 minutes. Pendant ce temps, mettez le reste de l'huile à chauffer dans une autre casserole. Faites frire les oignons restants, puis égouttez-les sur du papier absorbant.

3 Mixez la préparation. Incorporez les trois quarts du yaourt à la soupe, puis réchauffez-le à feu doux dans la casserole. Versez le potage dans des assiettes creuses. Ajoutez 1 cuillerée à soupe de yaourt, parsemez d'oignons frits et de coriandre, puis servez.

Crème de cresson et toasts au chèvre

Pour 4 personnes
Préparation et cuisson : 40 min

1 oignon
1 gousse d'ail
25 g de beurre
1 pomme de terre
1 l de bouillon de légumes
250 g de cresson
4 cuill. à soupe de crème fraîche
8 tranches de baguette
1 bûche de fromage de
chèvre (environ 100 g)
sel et poivre du moulin

1 Pelez puis hachez grossièrement l'oignon, pilez l'ail et, dans une casserole, faites revenir ces ingrédients à feu doux avec le beurre, jusqu'à ce qu'ils soient bien tendres. Pelez la pomme de terre, coupez-la en cubes et ajoutez-les dans la casserole avec le bouillon. Laissez cuire environ 15 minutes. Pendant ce temps, éliminez les tiges dures du cresson. Jetez le cresson dans le liquide portez de nouveau à ébullition. Laissez cuire 1 ou 2 minutes seulement pour que le cresson conserve sa belle couleur verte. Transvasez l'ensemble dans le bol d'un robot ménager et mixez jusqu'à l'obtention d'une consistance fluide et onctueuse.

2 Versez cette préparation dans la casserole, ajoutez la crème fraîche, mélangez le tout, salez et poivrez.

3 Faites griller les tranches de baguette et découpez huit tranches de fromage de chèvre dans la bûche. Posez une tranche de fromage sur chaque morceau de baguette et passez-les quelques instants au gril pour dorer la surface. Servez le velouté dans des bols ou des assiettes creuses, accompagné de deux toasts par convive.

Soupe de potiron aux haricots blancs

Pour 4 personnes
Préparation et cuisson : 1 h

2 gousses d'ail
2 oignons
1 cuill. à soupe d'huile d'olive
500 g de potiron
quelques brins de thym
1 pomme de terre
1 l de bouillon de légumes
400 g de haricots blancs en conserve
500 g de chou-fleur
1 poignée de persil

POUR SERVIR
pain croustillant

1 Émincez l'ail et les oignons. Mettez l'huile à chauffer dans une grande casserole, puis faites-y revenir les oignons pendant 10 minutes.

2 Pendant ce temps, pelez le potiron, épépinez-le, puis coupez la chair en morceaux. Effeuillez le thym, pelez la pomme de terre et détaillez-la en petits dés. Ajoutez le tout aux oignons avec l'ail, puis laissez cuire 1 minute. Versez le bouillon dans la casserole et portez à ébullition. Baissez le feu, puis prolongez la cuisson de 20 minutes à couvert.

3 Égouttez les haricots et détaillez le chou-fleur en bouquets. Incorporez le tout à la préparation et laissez mijoter 10 minutes. Transvasez 2 louchées de soupe dans le bol d'un robot. Ciselez le persil, ajoutez-le dans le bol, puis mixez le tout. Versez le contenu du bol dans la casserole, remuez et laissez chauffer quelques minutes. Versez la soupe dans des bols et servez avec du pain.

Velouté de carottes rôties

Pour 6 personnes
Préparation et cuisson : 1 h

1 oignon
800 g de carottes
beurre pour la cuisson
1 feuille de laurier
1 cuill. à café de miel
2 l de bouillon de légumes
20 cl de crème fraîche
4 cuill. à soupe d'herbes ciselées :
menthe, basilic et cerfeuil, seuls
ou en mélange
sel et poivre du moulin

1 Préchauffez le four à 200 °C (therm. 6-7).
Pelez l'oignon et les carottes et coupez-les en
morceaux. Étalez les légumes dans un plat allant
au four, répartissez quelques noisettes de beurre
en surface, enfournez et laissez cuire environ
30 minutes, jusqu'à ce qu'ils commencent à brunir
légèrement. Déposez-les dans une casserole,
ajoutez le laurier, le miel, versez le bouillon
et portez à ébullition.

2 Laissez cuire 10 minutes, jusqu'à ce que
les carottes soient tendres. Retirez le laurier,
transvasez le contenu de la casserole dans
le bol d'un robot ménager et mixez pour obtenir
une consistance veloutée.

3 S'il reste des fibres, filtrez éventuellement
le tout dans une passoire. Salez, poivrez
et maintenez au chaud.

4 Mélangez la crème et les herbes, salez
et poivrez. Servez dans des bols, en posant
délicatement une cuillerée de crème aux herbes
en surface.

SALADES ET ENCAS

Salade de lentilles à la feta

Pour 2 personnes
Préparation : 15 min

400 g de lentilles cuites en conserve
1 poignée de radis
2 cœurs de laitue
5 poivrons grillés en bocal
1 poignée d'olives dénoyautées
4 cuill. à soupe d'huile d'olive
2 cuill. à soupe de vinaigre balsamique
200 g de feta
sel et poivre du moulin

1 Versez les lentilles dans une passoire, passez-les sous l'eau froide et égouttez-les soigneusement. Émincez les radis puis effeuillez les laitues.

2 Dans un saladier, réunissez les lentilles, les poivrons, les radis et les olives, arrosez d'huile et de vinaigre, salez, poivrez, puis mélangez soigneusement afin que tous les ingrédients soient bien assaisonnés.

3 Recouvrez le fond d'un plat de service de feuilles de laitue, dressez-y la préparation et décorez-la de feta émiettée. Servez bien frais.

Rouleaux de printemps
et sauce aux cacahuètes

Pour 12 rouleaux
Préparation : 45 min

50 g de vermicelles de riz
1 petit oignon rouge
2 grosses carottes
1 poivron rouge
1 poignée de feuilles de coriandre
50 g de roquette
12 galettes de riz
les feuilles de 1 petit
bouquet de menthe

POUR LA SAUCE AUX CACAHUÈTES
5 cuill. à soupe de sauce hoisin
au rayon « produits du monde »
des grandes surfaces
3 cuill. à soupe de beurre
de cacahuète
1 cuill. à soupe d'huile de sésame
1 cuill. à café de purée de piment
3 cuill. à soupe d'eau bouillante

1 Préparez la sauce aux cacahuètes : mixez tous les ingrédients en purée fine puis transvasez le mélange dans un bol.

2 Recouvrez les vermicelles d'eau bouillante et laissez-les ramollir pendant 3 minutes. Égouttez-les, étalez-les sur un linge propre et coupez-les en morceaux d'environ 12 cm.

3 Émincez finement l'oignon, coupez les carottes et le poivron en bâtonnets puis ciselez la coriandre. Préparez douze petits tas de légumes, d'herbes, de roquette et de vermicelles mélangés et placez-les sur une plaque.

4 Plongez les galettes de riz l'une après l'autre pendant 30 secondes dans de l'eau chaude pour les assouplir. Égouttez-les sur du papier absorbant. Posez 2 feuilles de menthe, puis un petit tas de légumes et de vermicelles aux herbes sur chacune, entre le centre et le bord de la galette. Repliez les deux côtés opposés sur cette garniture, puis roulez la galette en serrant bien pour former un cylindre. Renouvelez l'opération avec les autres galettes.

5 Servez les rouleaux entiers, ou coupés en biais, avec la sauce aux cacahuètes.

Salade de pâtes aux légumes

Pour 4 personnes
Préparation et cuisson : 20 min

250 g de haricots verts
300 g de penne complètes
250 g de graines de soja surgelées
(ou de fèves)
2 carottes
50 g de graines germées d'alfalfa
ou de cresson
1 petit bouquet de coriandre

POUR LA SAUCE
1 morceau de gingembre de 2 cm
1 citron vert
1 cuill. à café d'huile de sésame
1 cuill. à soupe de sauce soja

1 Coupez les haricots verts en deux.
Faites cuire les pâtes de 8 à 10 minutes dans
une grande casserole d'eau bouillante. Ajoutez
les graines de soja et les haricots verts dans
l'eau 3 minutes avant la fin du temps de cuisson.
Égouttez le mélange, rincez le tout sous l'eau froide,
puis réservez.

2 Préparez la sauce. Râpez le gingembre,
puis pressez le citron et versez le jus dans
un grand saladier. Ajoutez l'huile de sésame,
la sauce soja, le gingembre râpé dans le saladier
et fouettez le tout.

3 Râpez les carottes, puis incorporez-les
à la sauce avec les graines d'alfalfa, les pâtes
et les légumes égouttés. Ciselez grossièrement
la coriandre au-dessus de la préparation,
brassez l'ensemble et servez.

Cake aux asperges, aux tomates et au fromage

Pour 10 tranches

Préparation et cuisson : 55 min à 1 h

250 g de pointes d'asperges
200 g de farine
1 cuill. à café de levure
1 cuill. à soupe de feuilles de thym
3 gros œufs
10 cl de lait
10 cl d'huile d'olive
100 g de tomates séchées
1 poignée d'olives noires dénoyautées
100 g de gruyère ou de beaufort râpé
sel et poivre du moulin

1 Préchauffez le four à 170 °C (therm. 5-6). Huilez le fond d'un moule à cake, puis tapissez-le de papier sulfurisé. Coupez chaque asperge en 3 tronçons et faites-les cuire dans de l'eau bouillante salée pendant 2 minutes. Égouttez, puis rafraîchissez les asperges brièvement sous l'eau froide. Essuyez-les à l'aide de papier absorbant.

2 Dans un saladier, mélangez la farine avec la levure, le thym, du sel et du poivre, puis formez un puits au centre. Battez les œufs légèrement dans un bol et versez-les au centre du puits sans cesser de battre. Incorporez le lait et l'huile en fouettant constamment.

3 Hachez grossièrement les tomates. Réservez 5 pointes d'asperges et quelques olives, puis incorporez le reste à la pâte avec les tomates et les deux tiers du gruyère. Versez la préparation dans le moule. Ajoutez les pointes d'asperges et les olives réservées, puis parsemez du reste du gruyère. Enfournez pour 35 à 40 minutes. Faites refroidir 5 minutes dans le moule, puis démoulez sur une grille et laissez refroidir complètement.

Taboulé express

Pour 2 personnes
Préparation et cuisson : 15 min

100 g de semoule de couscous
20 cl de bouillon de légumes
1 poivron rouge
2 oignons nouveaux
1/2 concombre
2 cuill. à soupe de pesto
50 g de feta

POUR SERVIR
2 cuill. à soupe de pignons
de pin grillés

1 Dans une casserole, portez le bouillon de légumes à ébullition. Versez la semoule dans un saladier, puis arrosez-la du bouillon de légumes. Couvrez, puis laissez gonfler 10 minutes, jusqu'à ce que tout le bouillon soit absorbé.

2 Pendant ce temps, épépinez le poivron. Tranchez-le avec les oignons, puis détaillez le demi-concombre en dés. Ajoutez le tout dans le saladier avec le pesto et mélangez avec soin à l'aide d'une fourchette. Coupez la feta en dés, puis incorporez-les à la préparation. Ce taboulé se conserve 2 jours au réfrigérateur.

3 Au moment de servir, parsemez le taboulé de pignons de pin grillés.

Wraps aux haricots noirs et crudités

Pour 4 personnes
Préparation et cuisson : 45 min

8 tortillas de maïs ou pains pitas
2 cuill. à soupe d'huile d'olive
1 oignon
3 gousses d'ail
1 cuill. à soupe de paprika fumé
1 cuill. à soupe de cumin en poudre
5 cuill. à soupe de vinaigre de cidre
3 cuill. à soupe de miel liquide
1,2 kg de haricots noirs en conserve
sel et poivre du moulin

POUR LA GARNITURE
tomates
oignons rouges
piments jalapeño
avocat

POUR SERVIR
crème fraîche ou Tabasco chipotle
quelques brins de coriandre

1 Préchauffez le four à 180 °C (therm. 6).
Badigeonnez les tortillas d'un peu d'huile
et répartissez-les en une couche sur des plaques
de cuisson. Enfournez pour 8 minutes.

2 Pelez l'oignon et l'ail, puis hachez-les.
Mettez le reste de l'huile à chauffer dans une poêle,
faites revenir l'oignon et l'ail 5 minutes, puis ajoutez
les épices, le vinaigre et le miel. Prolongez la cuisson
de 2 minutes. Rincez les haricots noirs, égouttez-les,
puis incorporez-les à la préparation. Assaisonnez
et laissez cuire. Arrêtez le feu, puis écrasez
délicatement les haricots à l'aide du dos
d'une cuillère pour obtenir une purée épaisse.

3 Préparez la garniture. Coupez les tomates
en dés, puis tranchez les oignons et les piments.
Ouvrez l'avocat en deux, retirez le noyau et la peau,
puis détaillez la chair en morceaux.

4 Étalez la purée de haricot sur chaque tortilla,
répartissez la garniture, puis servez avec 1 cuillerée
à soupe de crème fraîche et 1 brin de coriandre.

Salade de lentilles aux légumes verts

Pour 4 personnes
Préparation et cuisson : 25 min

1 l de bouillon de légumes
200 g de lentilles du Puy
200 g de brocolis
140 g de graines de soja
140 g de pois gourmands
1 piment rouge
sel et poivre du moulin

POUR LA VINAIGRETTE
1 gousse d'ail
1 morceau de gingembre de 3 cm
2 cuill. à soupe d'huile de sésame
le jus de 1 citron
2½ cuill. à soupe de sauce soja pauvre en sel
1 cuill. à soupe de miel liquide

1 Portez le bouillon à ébullition dans une casserole. Ajoutez les lentilles, laissez-les cuire 15 minutes, puis égouttez-les et mettez-les dans un grand saladier. Portez de l'eau salée à ébullition dans la casserole, détaillez les brocolis en bouquets, puis faites-les bouillir 1 minute. Ajoutez les graines de soja et les pois gourmands dans l'eau, puis prolongez la cuisson de 1 minute. Égouttez les légumes, rincez-les sous l'eau froide, essuyez-les à l'aide de papier absorbant et ajoutez-les dans le saladier.

2 Préparez la vinaigrette. Hachez l'ail, râpez finement le gingembre, puis réunissez-les dans un bol. Ajoutez les autres ingrédients de la vinaigrette, remuez et versez le tout dans le saladier.

3 Épépinez le piment rouge, émincez-le, puis incorporez-le à la salade et servez.

Semoule au chèvre et aux betteraves

Pour 2 personnes

Préparation et cuisson : 15 min

le zeste et le jus de 1 orange
10 cl d'eau
140 g de semoule de couscous
85 g de fromage de chèvre
6 abricots secs
4 petites betteraves cuites
25 g de cerneaux de noix
2 cuill. à soupe d'huile d'olive
vierge extra
le jus de 1/2 citron
2 poignées d'épinards
sel et poivre du moulin

1 Dans une casserole de taille moyenne, rassemblez le zeste et le jus de l'orange avec l'eau. Portez à ébullition et arrêtez le feu. Ajoutez la semoule, mélangez, puis laissez gonfler pendant 5 minutes.

2 Pendant ce temps, émiettez le fromage, hachez grossièrement les abricots secs et coupez les betteraves en quatre.

3 Égrainez le couscous à la fourchette. Incorporez-y les cerneaux de noix, le fromage, les abricots secs et les betteraves. Assaisonnez. Arrosez d'huile et de jus de citron. Si vous consommez le plat immédiatement, ajoutez les épinards. Dans le cas contraire, transvasez le couscous dans une boîte et mettez les épinards sur le dessus pour ne les mélanger qu'au dernier moment.

Concombre au yaourt

Pour 4 personnes
Préparation : 25 min

1 concombre
1 cuill. à café de fleur de sel
1 oignon rouge
1 petit bouquet d'aneth
15 cl de crème fraîche
1 cuill. à soupe de crème de raifort
poivre du moulin

1 Coupez le concombre en deux dans la longueur, épépinez-le et coupez-le en fines tranches. Déposez-les dans une passoire, parsemez de fleur de sel et laissez dégorger pendant 20 minutes.

2 Pendant ce temps, pelez l'oignon, coupez-le en deux, émincez-le et ciselez l'aneth. Mettez les morceaux de concombre dans un saladier, ajoutez l'oignon, la crème aigre, les 3/4 de l'aneth et la crème de raifort puis assaisonnez de quelques tours de moulin à poivre. Remuez délicatement cette préparation, servez dans des bols ou des assiettes creuses et parsemez du restant d'aneth.

Wraps au curry de pomme de terre et sauce à la menthe

Pour 4 personnes

Préparation et cuisson : 45 à 50 min

2 cuill. à café d'huile de tournesol
1 oignon
2 cuill. à soupe de curry en poudre
400 g de tomates concassées
en conserve
750 g de pommes de terre
2 cuill. à soupe de chutney
de mangue épicé
100 g de yaourt de nature allégé
1 cuill. à café de sauce à la menthe
en bocal (au rayon « produits
du monde » des grandes surfaces)
8 tortillas de maïs ou chapatis
quelques brins de coriandre
sel et poivre du moulin

POUR SERVIR
chutney de mangue (facultatif)

1 Mettez l'huile à chauffer dans une casserole. Pelez l'oignon, tranchez-le, puis faites-le frire de 6 à 8 minutes. Ajoutez les trois quarts du curry dans la casserole et prolongez la cuisson de 30 secondes. Incorporez les tomates à la préparation, assaisonnez, puis laissez mijoter 15 minutes à découvert.

2 Pendant ce temps, coupez les pommes de terre en dés, puis faites-les cuire avec le reste du curry de 6 à 8 minutes dans une casserole d'eau bouillante. Égouttez-les en réservant 10 cl de liquide. Incorporez les pommes de terre, l'eau de cuisson réservée et le chutney de mangue à la sauce tomate, puis faites réchauffer le tout.

3 Dans un bol, mélangez le yaourt avec la sauce à la menthe. Faites chauffer les tortillas au four à micro-ondes. Déposez un peu de la préparation à base de pommes de terre sur chaque tortilla, puis parsemez de coriandre. Arrosez d'un filet de yaourt à la menthe et ajoutez éventuellement du chutney. Roulez la tortilla, puis servez aussitôt.

Beignets épicés
à la courgette

Pour 4 personnes
Préparation et cuisson : 50 min

1 piment rouge
1 gros oignon
3 courgettes
1 poignée de feuilles de coriandre
1 cuill. à soupe de garam masala
(mélange d'épices indien)
1 cuill. à café de curcuma en poudre
140 g de farine à levure incorporée
1/2 cuill. à café de bicarbonate
de soude
20 cl d'eau
huile de tournesol

POUR LA SAUCE TOMATE
1 oignon rouge
1 piment vert (facultatif)
2 tomates
1 cuill. à café de ketchup

1 Coupez le piment en deux, puis épépinez-le et détaillez-le en fines lamelles. Pelez l'oignon, puis émincez-le. Détaillez les courgettes en fines rondelles. Hachez grossièrement la coriandre. Réunissez les légumes dans un saladier avec la coriandre, les épices, la farine et le bicarbonate de soude. Incorporez l'eau progressivement aux ingrédients jusqu'à l'obtention d'une pâte épaisse. Mettez de l'huile à chauffer dans une grande poêle et déposez 2 cuillerées à soupe bombées de pâte dedans. Faites frire 2 minutes de chaque côté, puis égouttez les beignets sur du papier absorbant et réservez-les au chaud. Répétez l'opération avec le reste de la pâte.

2 Préparez la sauce tomate. Pelez l'oignon, puis émincez-le, éventuellement avec le piment. Hachez les tomates. Réunissez l'ensemble dans un bol, puis incorporez le ketchup. Servez dans une coupelle, avec les beignets.

Feuilletés aux épinards

Pour 8 personnes
Préparation et cuisson : 1 h 20
Repos de la pâte : 1 h

1 petite pomme de terre
200 g d'épinards
2 œufs battus
15 cl de crème liquide
100 g de cheddar râpé
noix de muscade râpée
sel et poivre du moulin

POUR LA PÂTE
140 g de beurre froid
140 g de farine de sarrasin
140 g de farine
2 cuill. à soupe de son de blé
1 cuill. à café de gomme de xanthane
1 œuf battu
1 cuill. à soupe d'eau
35 g de cheddar râpé

1 Préparez la pâte. Coupez le beurre en dés, puis malaxez-les avec les farines, le son de blé et la gomme de xanthane dans un saladier. Incorporez l'œuf et l'eau aux ingrédients secs, puis déposez la pâte obtenue sur le plan de travail et pétrissez-la. Réservez 1 heure au frais.

2 Pendant ce temps, pelez la pomme de terre, coupez-la en morceaux et faites-les cuire dans une casserole d'eau bouillante, puis égouttez-les. Mettez les épinards dans une passoire, arrosez-les d'eau bouillante et pressez-les pour les essorer. Dans un saladier, mélangez-les avec la moitié des œufs, la pomme de terre, la crème liquide et 65 g de cheddar. Ajoutez la muscade et assaisonnez.

3 Préchauffez le four à 180 °C (therm. 6). Farinez le plan de travail, puis étalez-y la pâte sur 3 mm d'épaisseur. Découpez-la en 8 carrés de 13 cm de côté et répartissez la garniture au centre de chacun. Badigeonnez d'un peu d'œuf le pourtour des carrés de pâte, puis rabattez les extrémités sur la garniture et pressez les bords pour les souder. Transposez les feuilletés sur la plaque de cuisson. Badigeonnez-les du reste d'œuf et parsemez-les du cheddar restant. Enfournez pour 30 minutes.

Brochettes de feta et de tomates

Pour 2 personnes

Préparation et cuisson : 15 min

1 citron et le zeste de 1/2 citron
200 g de feta allégée
1/2 baguette coupée en dés
8 tomates cerises
2 brins de romarin frais
1 cuill. à soupe d'huile d'olive

1 Coupez 1/2 citron en quartiers et l'autre moitié en tranches. Détaillez la feta en huit morceaux. Munissez-vous de quatre piques à brochettes et enfilez sur chacune d'elles un dé de pain, un morceau de feta, une tranche de citron et une tomate cerise. Répétez l'opération en terminant par un morceau de pain. Déposez ces brochettes sur une plaque de cuisson.

2 Parsemez du zeste de citron et de romarin ciselé, puis arrosez d'huile. Faites griller au barbecue 1 ou 2 minutes de chaque côté, jusqu'à ce que la feta soit grillée. Servez avec les quartiers de citron.

Salade de fenouil et céleri

Pour 6 personnes
Préparation : 15 min

1 gros bulbe de fenouil ou 2 petits
6 branches de céleri
3 ou 4 cuill. à soupe d'huile d'olive
vierge extra
2 cuill. à soupe de jus de citron
sel et poivre du moulin

1 Coupez le fenouil en fines tranches
dans le sens de la longueur (une mandoline
pour couper les légumes vous sera d'un grand
secours). Coupez les branches de céleri en fins
bâtonnets. Disposez le fenouil et le céleri
sur un grand plat.

2 Versez dessus l'huile et le jus de citron, du sel
et du poivre. Si vous avez des feuilles de fenouil
et de céleri, utilisez-les pour décorer le plat.

Salade d'asperges et de fromage de chèvre

Pour 4 personnes
Préparation : 15 min

4 bottes d'asperges

POUR LA SAUCE
2 cuill. à soupe de vinaigre de xérès
4 cuill. à soupe d'huile de noix
100 g de noix grillées et concassées
300 g de tomates cerises jaunes ou rouges
100 g de fromage de chèvre
1 petit bouquet de ciboulette
sel et poivre du moulin

1 Dans une casserole d'eau bouillante salée, faites blanchir les asperges 1 minute, égouttez-les et refroidissez-les dans de l'eau glacée, puis égouttez-les de nouveau.

2 Dans un petit saladier, préparez la sauce en mélangeant le vinaigre et l'huile de noix. Salez et poivrez.

3 Sur un grand plat, disposez les asperges, les feuilles d'endive et les noix. Coupez les tomates en deux, puis ajoutez-les à la préparation. Émiettez le fromage et émincez la ciboulette. Versez la sauce sur la salade et parsemez de fromage de chèvre et de ciboulette.

Tortillas à la courge et à la ricotta

Pour 2 personnes
Préparation et cuisson : 15 min

1/2 courge
1 cuill. à café de cumin en poudre
3 cuill. à soupe d'huile végétale
1 poignée de feuilles de coriandre
1 piment vert
le zeste et le jus de 1 citron vert
non traité
4 tortillas de blé tendre
100 g de ricotta
sel et poivre du moulin

POUR SERVIR
quartiers de citron vert

1 Pelez la demi-courge, puis épépinez-la et coupez-la en fines tranches. Mettez-les dans un saladier avec le cumin et 2 cuillerées à soupe d'huile. Remuez, puis assaisonnez généreusement le tout. Préchauffez un gril à feu vif. Faites griller les tranches de courge de 3 à 5 minutes de chaque côté et réservez-les.

2 Ciselez la coriandre, puis épépinez le piment et hachez-le. Réunissez le tout dans un saladier avec le zeste de citron vert, un filet de jus de citron et le reste de l'huile. Mélangez l'ensemble soigneusement. Faites dorer les tortillas sur le gril 30 secondes de chaque côté, puis pliez-les en quatre en formant des cônes. Garnissez-les de tranches de courge, d'une cuillerée à soupe de ricotta et du mélange à la coriandre. Servez immédiatement avec des quartiers de citron vert.

Avocat au houmous
et salade de tomates

Pour 2 personnes

Préparation et cuisson : 15 min

1 avocat
4 cuill. à soupe de houmous
sel et poivre du moulin

POUR LA SALADE DE TOMATES
1/2 oignon rouge
2 tomates
1 poignée d'olives dénoyautées
1 filet de jus de citron
1 filet d'huile d'olive

POUR SERVIR
1 filet d'huile d'olive
4 tranches de pain ciabatta

1 Préparez la salade de tomates. Pelez le demi-oignon, puis émincez-le. Hachez les tomates et coupez les olives en deux. Réunissez le tout dans un saladier avec le jus de citron et l'huile, puis mélangez bien l'ensemble.

2 Coupez l'avocat en deux et dénoyautez-le. Remplissez les moitiés d'avocat de houmous, puis disposez-les sur deux assiettes. Couvrez de salade de tomates, arrosez d'un filet d'huile, puis servez avec des toasts de pain ciabatta.

Tartelettes aux oignons rouges et au chèvre

Pour 6 personnes

Préparation et cuisson : 50 min

500 g de pâte brisée pur beurre,
prête à l'emploi
2 gros oignons rouges
huile d'olive
1 cuill. à soupe de vinaigre balsamique
1/2 cuill. à soupe de feuilles de thym
1 petite bûche de fromage de chèvre

1 Préchauffez le four à 200 °C (therm. 6-7). Étalez finement la pâte brisée, garnissez de pâte six moules à tartelettes d'environ 10 cm de diamètre et piquez le fond avec une fourchette. Recouvrez-les d'une feuille de papier sulfurisé et de haricots secs, et faites cuire pendant 10 minutes, jusqu'à ce que la pâte commence à dorer. Retirez le papier et les haricots, enfournez de nouveau et laissez cuire la pâte 5 minutes.

2 Pelez les oignons rouges et coupez chacun en 3 rondelles épaisses. Faites revenir ces rondelles doucement à la poêle dans un peu d'huile d'olive, pendant environ 15 minutes, jusqu'à ce qu'elles soient translucides. Retournez-les délicatement une fois, sans les briser. Arrosez-les de vinaigre balsamique, parsemez de thym et portez à ébullition. Sortez-les du feu, coupez le fromage en tranches, posez une rondelle d'oignon puis une tranche de chèvre sur chaque fond de tartelette.

3 Enfournez et laissez cuire les tartelettes jusqu'à ce que le fromage soit bien doré. Arrosez d'un filet d'huile d'olive et servez.

Salade d'hiver croquante

Pour 4 personnes

Préparation et cuisson : 20 min

170 g de pain
1 gousse d'ail pelée
2 endives
2 branches de céleri
1 botte de radis épluchés
2 pommes rouges, sans cœur
et sans pépins
50 g de noix ou de noix de pécan
décortiquées
175 g de stilton (ou de bleu d'Auvergne)
4 ou 5 cuill. à soupe de sauce
à la moutarde et au miel

1 Préchauffez le four à 200 °C (therm. 6-7). Découpez le pain en tranches et frottez-les avec la gousse d'ail. Déposez-les sur une plaque et faites-les cuire quelques minutes jusqu'à ce que le pain soit doré.

2 Séparez les feuilles des endives ; coupez le céleri en fines lamelles biseautées dans la diagonale ; détaillez les radis et les pommes en petites tranches. Faites griller les noix quelques minutes à sec dans une poêle antiadhésive, puis hachez-les grossièrement. Mélangez tous les légumes et les noix dans un grand saladier. Émiettez grossièrement le fromage sur le dessus.

3 Réduisez la moitié des tranches de pain en miettes et ajoutez-les à la salade. Versez dessus la sauce au miel et à la moutarde selon votre goût. Servez avec le reste des tranches de pain à l'ail.

Brochettes de légumes au fromage

Pour 4 personnes
Préparation et cuisson : 25 min

1 oignon rouge
250 g de halloumi ou de feta
2 courgettes
16 tomates cerises
sel et poivre du moulin

POUR LA SAUCE AU CITRON
1 cuill. à soupe d'huile d'olive
2 cuill. à soupe de jus de citron
2 cuill. à café de feuilles de thym citron
1 cuill. à café de moutarde de Dijon

POUR SERVIR
pains pitas

1 Coupez l'oignon en quartiers, le fromage en seize gros morceaux et les courgettes en deux dans la longueur, puis en tronçons épais. Enfilez les ingrédients sur huit brochettes en alternant un morceau de halloumi, 1 tomate cerise, un tronçon de courgette et un quartier d'oignon. Placez les brochettes dans un plat, couvrez-les de film alimentaire, puis réservez-les au frais.

2 Préparez la sauce au citron : réunissez tous les ingrédients dans un petit saladier, assaisonnez selon votre goût et mélangez.

3 Préchauffez un barbecue ou un gril, puis disposez les brochettes dessus. Remuez la sauce, nappez-en les brochettes et faites-les cuire 4 ou 5 minutes en les retournant régulièrement. Servez avec des pains pitas chauds.

Salade de riz sauvage et de feta

Pour 4 personnes
Préparation et cuisson : 30 min

400 g de pois chiches en conserve
250 g de riz basmati et de riz sauvage
1 oignon rouge
1 gousse d'ail
1 citron
1 poignée de persil
100 g d'airelles déshydratées
3 cuill. à soupe d'huile d'olive
200 g de feta
sel et poivre du moulin

1 Rincez les pois chiches et le riz puis égouttez-les. Pelez l'oignon et l'ail puis émincez-les. Pressez le citron jusqu'à obtenir 2 cuillerées à soupe de jus. Ciselez le persil.

2 Faites cuire le riz selon les instructions figurant sur le paquet. Ajoutez les pois chiches 4 minutes avant la fin de la cuisson, égouttez l'ensemble et laissez reposer un instant. Incorporez ensuite les airelles et l'oignon.

3 Dans un bol, versez l'ail, le jus de citron et l'huile d'olive. Salez, poivrez puis mélangez bien le tout. Versez cette sauce sur la préparation, remuez bien, dressez la salade de riz sur un plat de service, puis parsemez-la de feta émiettée et de persil. Servez froid ou chaud.

Wraps aux haricots rouges et à la courge

Pour 4 personnes
Préparation et cuisson : 40 min

1/2 courge
1 piment rouge
2 tomates
1 cuill. à soupe de mélange
d'épices cajun
1 cuill. à soupe d'huile végétale
400 g de haricots rouges cuisinés
en conserve
1 citron vert non traité
4 cuill. à soupe de yaourt nature
8 tortillas de blé
50 g de roquette
sel et poivre du moulin

1 Préchauffez le four à 200 °C (therm. 6-7). Pelez la courge et coupez-la en quartiers, puis épépinez le piment et hachez-le. Écrasez grossièrement les tomates. Dans un plat allant au four, mélangez les morceaux de courge avec le piment, les épices, l'huile, du sel et du poivre, puis enfournez pour 25 minutes. Dans une casserole, réunissez les haricots rouges et les tomates concassées. Faites réchauffer le tout à feu doux. Râpez le zeste du citron vert et pressez le fruit, puis mélangez-les avec le yaourt dans un bol.

2 Faites réchauffer les tortillas 30 secondes au four à micro-ondes. Nappez-les d'une fine couche de préparation aux haricots, puis garnissez de courge, de feuilles de roquette et de 1 cuillerée à soupe de yaourt citronné. Servez aussitôt.

Salade d'épinards à la feta

Pour 4 personnes
Préparation et cuisson : 25 min

250 g de couscous
30 cl de bouillon de légumes chaud
300 g de fèves surgelées
125 g de jeunes feuilles d'épinard
20 g de menthe fraîche
85 g d'olives noires
200 g de feta
1 filet d'huile d'olive
sel et poivre du moulin

1 Mettez le couscous dans un grand saladier, versez le bouillon de légumes bouillant dessus et remuez. Couvrez et laissez reposer 4 minutes. Séparez les grains de couscous à la fourchette.

2 Faites cuire les fèves 3 minutes à l'eau bouillante, puis égouttez-les. Mettez les épinards dans une passoire et passez-les à l'eau bouillante. Rafraîchissez-les sous l'eau froide et pressez-les pour les égoutter. Hachez les feuilles de menthe.

3 Ajoutez au couscous les fèves, les épinards, la menthe et les olives ; remuez bien. Émiettez la feta par-dessus, salez, poivrez et versez un filet d'huile d'olive. Remuez bien et servez.

REPAS LÉGERS

Ratatouille

Pour 4 personnes
Préparation et cuisson : 45 min

2 poivrons rouges ou jaunes
4 grosses tomates bien mûres
2 grosses aubergines
4 petites courgettes
1 oignon de taille moyenne
3 gousses d'ail
5 cuill. à soupe d'huile d'olive
1 cuill. à soupe de vinaigre
de vin rouge
1 cuill. à café de sucre
un petit bouquet de basilic
sel et poivre du moulin

1 Pelez les poivrons avec un Économe, puis épépinez-les et coupez-les en gros morceaux. Incisez la base des tomates en croix, puis couvrez-les d'eau bouillante. Attendez 20 secondes, puis plongez-les dans un saladier d'eau froide, pelez-les, épépinez-les et hachez grossièrement la chair. Coupez les aubergines en gros morceaux et les courgettes en rondelles. Émincez l'oignon et pressez l'ail.

2 Faites chauffer 2 cuillerées à soupe d'huile dans une poêle, puis faites revenir les aubergines pendant 5 minutes. Réservez, puis faites sauter les courgettes pendant 5 minutes dans 1 cuillerée d'huile supplémentaire, jusqu'à ce qu'elles soient dorées. Réservez. Faites revenir les poivrons et les oignons avec le reste d'huile, puis ajoutez l'ail et prolongez la cuisson de 1 minute.

3 Incorporez le vinaigre et le sucre, puis les tomates et la moitié du basilic haché. Ajoutez les aubergines et les courgettes. Salez, poivrez et laissez mijoter le tout pendant 5 minutes. Servez parsemé du reste de basilic.

Légumes à l'indienne

Pour 4 personnes
Préparation et cuisson : 20 min

4 piments verts
1 morceau de gingembre de 4 cm
1 cuill. à soupe d'huile végétale
1 cuill. à café de graines de cumin
1/2 cuill. à café de graines
de moutarde noires
1/2 cuill. à café de curcuma
500 g de légumes verts
à feuilles émincés
100 g de petits pois surgelés
le jus de 1 citron
1/2 cuill. à café de coriandre
en poudre
1 petit bouquet de coriandre
2 cuill. à soupe de noix
de coco râpée
sel

1 Épépinez et hachez les piments. Râpez le gingembre. Faites chauffer l'huile dans un wok ou une grande poêle antiadhésive et faites revenir les graines de cumin et de moutarde pendant 1 minute. Ajoutez ensuite les piments, le gingembre et le curcuma et prolongez la cuisson jusqu'à ce qu'il se dégage une forte odeur aromatique. Ajoutez ensuite les légumes, 1 pincée de sel, un petit peu d'eau et les petits pois. Couvrez et laissez mijoter pendant 4 ou 5 minutes, jusqu'à ce que les feuilles aient fondu.

2 Incorporez ensuite le jus de citron, la coriandre en poudre, la moitié de la coriandre fraîche grossièrement hachée et la moitié de la noix de coco. Mélangez bien l'ensemble. Transférez sur un plat de service et servez parsemé du reste de noix de coco et de coriandre fraîche hachée.

Pilaf aux légumes verts

Pour 2 personnes
Préparation et cuisson : 25 min

2 oignons
25 g de beurre
20 g d'aneth
175 g de riz basmati
45 cl de bouillon de légumes
1 bonne pincée de safran
ou de curcuma en poudre
300 g de fèves, petits pois
et haricots verts surgelés
1 petite gousse d'ail
100 g de yaourt à la grecque
1 cuill. à soupe de lait
sel et poivre du moulin

1 Coupez les oignons en deux puis émincez-les. Mettez-les dans une casserole avec le beurre et faites-les revenir jusqu'à ce qu'ils soient dorés. Effeuillez l'aneth, hachez ses tiges, puis ajoutez ces dernières dans la casserole. Incorporez le riz et mélangez bien l'ensemble.

2 Parfumez le bouillon de légumes à l'aide du safran. Versez-le dans la casserole et portez à ébullition. Couvrez et laissez mijoter 5 minutes. Ajoutez les légumes et la moitié des feuilles d'aneth. Laissez cuire jusqu'à ce que le riz ait absorbé le bouillon.

3 Pendant ce temps, écrasez l'ail. Mélangez-le avec le yaourt et le lait, puis assaisonnez le tout. Servez le riz nappé de yaourt à l'ail et parsemez le reste d'aneth.

Poivrons rôtis au cumin

Pour 6 personnes
Préparation et cuisson : 40 min

4 poivrons rouges
3 cuill. à soupe d'huile d'olive
600 g de tomates cerises en grappes
1 cuill. à café de cumin
100 g d'olives vertes
sel et poivre du moulin

1 Préchauffez le four à 200 °C (therm. 6-7).
Égrainez et coupez les poivrons en gros morceaux.
Mettez-les dans un plat allant au four de taille
moyenne et arrosez avec 2 cuillerées à soupe
d'huile. Salez et poivrez généreusement, puis
enfournez le plat pour environ 20 minutes, jusqu'à
ce que les poivrons aient légèrement ramolli.

2 Retirez le plat du four, puis posez les grappes
de tomates cerises sur les poivrons, saupoudrez
de cumin et arrosez avec le reste d'huile.
Salez et poivrez à nouveau, puis enfournez
pour 10 minutes, jusqu'à ce que la peau
des tomates éclate. Incorporez les olives
juste avant de servir ce plat chaud ou froid.

Aubergines grillées
au yaourt et à la menthe

Pour 4 personnes
Préparation et cuisson : 30 min

4 petites aubergines
2 gousses d'ail
2 cuill. à soupe d'huile d'olive
150 g de yaourt nature
le jus de 1/2 citron
1 petit bouquet de menthe
sel et poivre du moulin

1 Coupez les aubergines en rondelles de 1 cm d'épaisseur environ. Pressez l'ail. Arrosez les tranches d'aubergine d'huile d'olive, salez et poivrez légèrement puis mélangez bien. Faites chauffer un gril, puis faites griller les aubergines des deux côtés jusqu'à ce qu'elles soient tendres et légèrement brunies. Procédez en plusieurs fois. Laissez refroidir légèrement les aubergines grillées sur un plat de service.

2 Pendant ce temps, mélangez le yaourt avec le jus de citron, l'ail et la menthe grossièrement hachée. Salez et poivrez, puis versez cette sauce sur les aubergines grillées et servez à température ambiante.

Légumes korma

Pour 4 personnes

Préparation et cuisson : 5 h

1 oignon
3 gousses de cardamome
1 cuill. à soupe d'huile végétale
2 cuill. café de cumin en poudre
2 cuill. à café de coriandre en poudre
1/2 cuill. à café de curcuma en poudre
1 gousse d'ail
1 morceau de gingembre de 5 cm
1 piment vert
800 g de légumes mélangés
(par exemple carottes, chou-fleur,
pommes de terre et courgettes)
40 cl de bouillon de légumes chaud
200 g de petits pois surgelés
200 g de yaourt nature
2 cuill. à soupe d'amandes en poudre
1 poignée d'amandes effilées
quelques feuilles de coriandre
sel et poivre du moulin

POUR SERVIR
riz basmati ou naan (pains indiens)

1 Pelez l'oignon et hachez-le, puis écrasez les gousses de cardamome. Mettez l'huile à chauffer dans une casserole à feu doux. Faites revenir l'oignon avec la cardamome et les épices en poudre 5 ou 6 minutes dans la casserole. Pendant ce temps, pelez l'ail et le gingembre, épépinez le piment, puis hachez le tout. Ajoutez-les dans la casserole et prolongez la cuisson de 1 minute. Transférez le contenu de la casserole dans la cocotte de la mijoteuse.

2 Hachez les légumes, puis ajoutez-les dans la cocotte. Arrosez de bouillon et laissez mijoter 4 heures à couvert.

3 Faites décongeler les petits pois au four à micro-ondes en position décongélation. Incorporez-les à la préparation avec le yaourt, les amandes en poudre, du sel et du poivre, puis laissez reposer 5 minutes. Pendant ce temps, faites griller les amandes effilées à sec dans une poêle antiadhésive. Parsemez-en le plat, puis ajoutez la coriandre. Servez avec du riz basmati ou des naan.

Pilaf de légumes de printemps

Pour 4 personnes
Préparation et cuisson : 20 min

1 cuill. à soupe d'huile d'olive
1 oignon
300 g de riz basmati
70 cl de bouillon de légumes
100 g d'asperges
1 courgette
1 bonne poignée de petits pois
frais ou surgelés
1 bonne poignée de fèves fraîches
ou surgelées
1 petite branche d'aneth

1 Faites chauffer l'huile dans une sauteuse, émincez l'oignon et mettez-le à revenir 5 minutes. Quand il est translucide, ajoutez le riz, versez le bouillon et remuez. Portez à ébullition, puis baissez le feu, couvrez et laissez cuire 10 minutes à feu doux, jusqu'à ce que le riz soit presque cuit.

2 Coupez les asperges en tronçons de 2 cm et coupez la courgette en rondelles. Ajoutez tous les légumes dans la sauteuse, couvrez et laissez cuire 2 minutes à l'étouffée. Sortez la sauteuse du feu et laissez reposer 2 minutes à couvert afin que le riz absorbe le reste du liquide. Hachez puis incorporez l'aneth juste avant de servir.

Légumes rôtis au pesto

Pour 4 personnes
Préparation et cuisson : 45 min

3 panais
2 oignons rouges
2 poivrons rouges
1 petite courge
1 gousse d'ail
2 cuill. à soupe d'huile d'olive
ou de tournesol
4 cuill. à soupe de pesto
100 g de pousses d'épinards
2 cuill. à soupe de pignons grillés
sel et poivre du moulin

1 Préchauffez le four à 230 °C (therm. 7-8).
Pelez et coupez les panais en rondelles. Émincez
les oignons. Coupez les poivrons en morceaux,
pelez la courge puis détaillez-la en lamelles.
Pressez l'ail.

2 Mettez tous les légumes dans un plat allant
au four avec l'huile et l'ail. Salez et poivrez, puis
mélangez avec les mains pour qu'ils soient tous
bien enrobés. Faites-les rôtir pendant 30 minutes,
jusqu'à ce qu'ils soient tendres et dorés.

3 Laissez refroidir légèrement, puis versez
dans un grand saladier. Mélangez avec le pesto,
les pousses d'épinards et les pignons grillés
puis servez.

Haricots blancs à la tomate

Pour 4 personnes

Préparation et cuisson : 1 h 50
Trempage : 1 nuit

400 g de haricots blancs secs
1 oignon espagnol
2 gousses d'ail
800 g de tomates mûres
3 cuill. à soupe d'huile d'olive
vierge extra
2 cuill. à soupe de purée de tomates
1 cuill. à café de sucre en poudre
1 cuill. café d'origan séché
1 pincée de cannelle en poudre
2 cuill. à soupe de persil plat haché
sel et poivre du moulin

POUR SERVIR
1 poignée de persil
1 filet d'huile d'olive

1 La veille, mettez les haricots à tremper dans un saladier d'eau froide.

2 Le lendemain, égouttez les haricots, mettez-les dans une casserole, puis couvrez-les d'eau et portez à ébullition. Laissez mijoter 50 minutes.

3 Préchauffez le four à 160 °C (therm. 5-6). Émincez l'oignon et l'ail, puis pelez les tomates et hachez-les grossièrement. Mettez l'huile à chauffer dans une grande poêle. Faites revenir l'oignon et l'ail dans l'huile 10 minutes à feu moyen, puis ajoutez la purée de tomates dans la poêle et laissez cuire 1 minute. Saupoudrez les tomates de sucre, d'origan, de cannelle et de persil. Mélangez le tout, puis prolongez la cuisson de 2 ou 3 minutes et assaisonnez selon votre goût.

4 Égouttez les haricots, incorporez-les à la préparation et transvasez-la dans un grand plat à rôtir. Enfournez pour 1 heure, puis laissez refroidir et ciselez le persil au-dessus du plat. Arrosez d'un filet d'huile d'olive, puis servez.

Tajine de légumes
aux pois chiches

Pour 4 personnes
Préparation et cuisson : 30 min

2 oignons
2 tomates
2 grosses courgettes
2 cuill. à soupe d'huile d'olive
400 g de pois chiches en conserve
1/2 cuill. à café de cannelle en poudre
1/2 cuill. à café de coriandre
en poudre
1/2 cuill. à café de cumin en poudre
4 cuill. à soupe de raisins secs
40 cl de bouillon de légumes
300 g de petits pois surgelés

POUR SERVIR
coriandre fraîche

1 Hachez les oignons et les tomates. Coupez les courgettes en morceaux. Laissez chauffer l'huile dans une sauteuse, puis faites-y revenir les oignons pendant 5 minutes. Rincez les pois chiches puis égouttez-les. Incorporez les épices, puis ajoutez les courgettes, les tomates, les pois chiches, les raisins secs, mouillez avec le bouillon et portez à ébullition. Couvrez et laissez frémir pendant 10 minutes.

2 Ajoutez les petits pois dans la sauteuse et prolongez la cuisson de 5 minutes. Ciselez les feuilles de coriandre, parsemez-en le tajine puis servez sans attendre.

Courges rôties en crumble au piment

Pour 12 personnes
Préparation et cuisson : 45 min

2 petites courges butternut
80 g de grosse chapelure fraîche
4 cuill. à soupe d'huile d'olive
2 gousses d'ail
1 piment rouge
1 petite poignée de feuilles de sauge
3 cuill. à soupe de grana padano
sel et poivre du moulin

1 Préchauffez le four à 200 °C (therm. 6-7). Épépinez les courges et coupez-les en quartiers puis disposez-les dans un plat à gratin. Mélangez la chapelure avec 2 cuillerées à soupe d'huile d'olive, un peu de sel et de poivre. Émincez l'ail et le piment, parsemez-en le plat, ajoutez la sauge, arrosez du reste d'huile d'olive, salez et poivrez, puis recouvrez de chapelure. Râpez le grana padano et parsemez-en la préparation.

2 Enfournez et laissez cuire 35 à 40 minutes, jusqu'à ce que les légumes soient bien tendres.

Aubergines grillées, sauces au yaourt et à la tomate

Pour 2 personnes
Préparation et cuisson : 30 min

1 grosse aubergine
3 cuill. à soupe d'huile d'olive
150 g de tomates cerises
1 gousse d'ail
1 pincée de piment en poudre
1 yaourt nature
1 cuill. à soupe de feuilles
de menthe fraîche
sel et poivre du moulin

POUR SERVIR
quelques feuilles de menthe
(facultatif)

1 Ôtez les extrémités de l'aubergine puis coupez-la en six tranches épaisses dans le sens de la longueur. Assaisonnez généreusement et badigeonnez de 2 cuillerées à soupe d'huile. Coupez les tomates cerises en deux. Pressez l'ail.

2 Faites chauffer le reste d'huile dans une petite poêle et versez-y les tomates, l'ail et le piment en poudre ; salez légèrement. Laissez mijoter 3 ou 4 minutes à feu doux, jusqu'à ce que les tomates soient ramollies.

3 Dans un bol, mélangez le yaourt avec la menthe ciselée, du sel et du poivre.

4 Faites cuire les tranches d'aubergine 5 ou 6 minutes de chaque côté au barbecue, sur un gril en fonte ou sous le gril du four à feu vif, jusqu'à ce qu'elles ramollissent et prennent une jolie couleur dorée. Servez trois tranches d'aubergine par personne, arrosées de yaourt à la menthe, éventuellement décorées de feuilles de menthe, et accompagnées de sauce à la tomate.

Couscous
aux cinq légumes

Pour 4 personnes
Préparation et cuisson : 6 h 15 à 8 h 15

2 poivrons rouges
4 carottes
4 petits navets
3 oignons rouges
2 cuill. à soupe d'huile d'olive
1 cuill. à café de cumin
1 cuill. à café de paprika
1 cuill. à café de piment doux
en poudre
400 g de tomates concassées
en conserve
2 petites poignées d'abricots secs
2 cuill. à café de miel
sel et poivre du moulin

POUR SERVIR
semoule de couscous ou pommes
de terre en robe des champs

1 Épépinez les poivrons. Pelez les carottes et les navets, puis coupez-les en gros morceaux avec les poivrons. Pelez les oignons et détaillez-les en quartiers.

2 Dans la cocotte de la mijoteuse, mélangez les légumes avec l'huile, les épices, les tomates, les abricots et le miel. Couvrez, puis laissez mijoter de 6 à 8 heures à basse température.

3 Salez et poivrez, puis servez avec de la semoule.

Courge gratinée au parmesan

Pour 2 personnes
Préparation et cuisson : 1 h 10

1 courge butternut
1/2 cuill. à café de paprika
3 cuill. à soupe de ciboulette ciselée
3 cuill. à soupe de crème fraîche
1 noix de beurre
1 tranche de pain de mie épaisse
25 g de parmesan râpé
sel et poivre du moulin

1 Préchauffez le four à 200 °C (therm. 6-7). Coupez la courge en deux dans le sens de la longueur, puis épépinez-la à l'aide d'une cuillère. Assaisonnez chaque demi-courge, puis placez-les dans un plat creux allant au four rempli de 2 à 3 cm d'eau. Couvrez d'une feuille d'aluminium et enfournez pour 40 minutes.

2 Jetez l'eau du plat. Posez les morceaux de courge sur une planche à découper, puis laissez-les refroidir. Retirez la chair de la courge à l'aide d'une cuillère à soupe en allant presque jusqu'à la peau. Mettez-la dans un saladier avec le paprika, la ciboulette et la crème fraîche. Assaisonnez, mélangez, puis garnissez les demi-courges évidées de cette préparation.

3 Faites fondre le beurre dans une casserole à feu doux. Ôtez la croûte du pain, puis émiettez-le. Transférez le pain et le parmesan dans la casserole, remuez, puis ôtez du feu. Répartissez cette préparation sur les demi-courges. Enfournez pour 15 minutes et servez.

Curry de potiron aux pois chiches

Pour 4 personnes

Préparation et cuisson : 40 min

2 oignons
3 grosses tiges de citronnelle
1 potiron ou 1 courge, d'environ 1 kg
1 cuill. à soupe d'huile de tournesol
3 cuill. à soupe de pâte de curry jaune
6 gousses de cardamome
1 cuill. à soupe de graines
de moutarde
25 cl de bouillon de légumes
40 cl de lait de coco
(dans les épiceries asiatiques)
400 g de pois chiches en conserve
le jus de 1 citron vert

POUR SERVIR
1 poignée de feuilles
de menthe ciselées
quartiers de citron vert (facultatif)

1 Pelez les oignons, puis hachez-les. Écrasez la citronnelle avec le plat de la lame d'un couteau. Pelez le potiron, puis épépinez-le et coupez la chair en morceaux de 3 cm de côté.

2 Mettez l'huile à chauffer dans une sauteuse à feu doux. Faites frire la pâte de curry 2 ou 3 minutes avec les oignons, la citronnelle, les gousses de cardamome et les graines de moutarde. Ajoutez les morceaux de potiron, puis arrosez de bouillon de légumes et de lait de coco. Portez le tout à petite ébullition.

3 Pendant ce temps, égouttez les pois chiches et rincez-les. Intégrez-les au curry, puis prolongez la cuisson de 10 minutes. À cette étape, vous pouvez laisser refroidir le curry et le conserver 2 jours au réfrigérateur ou 1 mois au congélateur.

4 Si le curry est congelé, laissez-le entièrement décongeler au réfrigérateur, puis réchauffez-le. Pressez le citron vert et arrosez le curry du jus. Parsemez le plat de menthe ciselée, puis servez, éventuellement, avec des quartiers de citron vert.

Haricots noirs à la tomate et aux épices

Pour 4 à 6 personnes
Préparation et cuisson : 9 h

4 gousses d'ail
2 gros oignons
2 cuill. à soupe d'huile d'olive
3 cuill. à soupe de paprika doux
ou de piment doux en poudre
3 cuill. à soupe de cumin en poudre
800 g de haricots noirs en conserve
3 cuill. à soupe de vinaigre de cidre
2 cuill. à soupe de sucre roux
800 g de tomates concassées
en conserve
50 g de feta
1 oignon nouveau
4 radis
sel et poivre du moulin

POUR SERVIR
riz
crème fraîche (facultatif)

1 Pelez l'ail et les oignons, puis hachez-les.
Mettez l'huile à chauffer dans une poêle. Faites
frire l'ail et les oignons 5 minutes dans la poêle.

2 Saupoudrez de paprika et de cumin,
puis laissez cuire quelques minutes.
Pendant ce temps, égouttez les haricots
et rincez-les. Transférez le contenu de la poêle
dans la cocotte de la mijoteuse. Incorporez
les haricots, le vinaigre, le sucre, les tomates,
du sel et du poivre à la préparation. Couvrez,
puis laissez mijoter 8 heures à basse température.

3 Émiettez la feta et hachez l'oignon nouveau.
Tranchez les radis. Parsemez le chili de feta,
d'oignon et de rondelles de radis. Servez avec
du riz et, si vous le souhaitez, de la crème aigre.

Tofu sauté aux légumes

Pour 2 personnes
Préparation et cuisson : 30 min

1 cuill. à soupe de sauce soja
1 cuill. à soupe de sauce au piment
1 cuill. à café d'huile de sésame
350 g de tofu ferme
50 g de nouilles chinoises aux œufs
1 cuill. à soupe d'huile végétale
1 poivron rouge
6 oignons nouveaux
1 cuill. à soupe de noix de cajou
200 g de bok choï (choux chinois)
ou d'épinards
85 g de haricots mangetout

1 Dans un saladier, mélangez la sauce soja avec la sauce au piment et l'huile de sésame. Coupez le tofu en dés de 2 cm de côté et laissez-les mariner dans le mélange. Faites cuire les nouilles dans une grande casserole d'eau bouillante salée jusqu'à ce qu'elles soient tendres, puis égouttez-les et remettez-les dans la casserole. Versez l'huile végétale dans un wok ou dans une sauteuse à feu vif. Lorsque l'huile est chaude, faites revenir le tofu 2 ou 3 minutes, puis transvasez-le dans la casserole.

2 Épépinez le poivron et coupez-le en dés. Lavez les oignons, coupez-les en tronçons de 5 cm, puis hachez grossièrement les noix de cajou. Coupez les feuilles de bok choï et hachez leurs tiges en diagonale. Réunissez dans le wok les tiges de bok choï, le poivron, les oignons, les haricots et les noix de cajou. Faites sauter le tout 3 ou 4 minutes.

3 Incorporez les nouilles, le tofu et les feuilles de bok choï à la préparation, puis remuez et servez.

Légumes d'été aux pois chiches

Pour 4 personnes
Préparation et cuisson : 1 h 10

3 courgettes
1 aubergine
3 gousses d'ail
1 oignon
2 poivrons rouges
2 grosses pommes de terre
à chair ferme
1 cuill. à soupe de graines
de coriandre
4 cuill. à soupe d'huile d'olive
400 g de pois chiches en conserve
400 g de tomates concassées
en conserve
1 petit bouquet de coriandre
sel et poivre du moulin

POUR SERVIR
pain

1 Préchauffez le four à 220 °C (therm. 7-8). Coupez les courgettes en rondelles et l'aubergine en bâtonnets. Hachez l'ail et l'oignon. Épépinés les poivrons et coupez-les en morceaux. Pelez les pommes de terre et coupez-les en dés de 3 cm de côté.

2 Mettez tous les légumes dans un grand plat allant au four. Ajoutez les graines de coriandre, 3 cuillerées à soupe d'huile d'olive et assaisonnez le tout. Mélangez, puis étalez les légumes en une couche régulière. Enfournez pour 45 minutes, en remuant une ou deux fois en cours de cuisson.

3 Faites chauffer le plat à feu doux sur la gazinière. Égouttez et rincez les pois chiches, puis incorporez-les aux légumes, avec les tomates. Laissez mijoter en remuant doucement. Rectifiez l'assaisonnement. Arrosez avec le reste d'huile. Ciselez la coriandre, parsemez-en le plat, et servez-le avec du pain.

Sauté d'aubergines aux poivrons

Pour 4 personnes
Préparation et cuisson : 30 min

250 g de riz basmati
2 poivrons rouges
2 grosses aubergines avec la peau
8 oignons nouveaux
4 cuill. à soupe d'huile d'arachide
ou d'huile végétale
220 g de sauce aux haricots noirs
(au rayon « produits du monde »
des grandes surfaces)
2 cuill. à soupe d'eau

1 Portez de l'eau salée à ébullition dans une grande casserole. Faites cuire le riz basmati 10 à 12 minutes, puis égouttez-le.

2 Pendant ce temps, épépinez les poivrons, émincez-les et détaillez les aubergines en morceaux. Coupez 7 oignons en quatre lamelles, dans la longueur, puis émincez le dernier et réservez-le.

3 Mettez l'huile à chauffer dans un wok et faites revenir les aubergines 12 minutes. Ajoutez les poivrons et les lamelles d'oignons, puis prolongez la cuisson de 6 minutes. Versez la sauce aux haricots noirs dans le wok avec l'eau et laissez frémir 1 ou 2 minutes. Servez avec le riz et parsemez d'oignon émincé.

Curry de légumes vindaloo

Pour 4 à 6 personnes
Préparation et cuisson : 35 min

1/2 citron
2 courgettes
300 g de chou-fleur
400 g de pois chiches
en conserve
250 g d'épinards
1 cuill. à soupe d'huile
de tournesol
3 cuill. à soupe de pâte
de curry vindaloo
1 cuill. à soupe de sucre roux
40 cl de purée de tomates
sel et poivre du moulin

POUR SERVIR
riz basmati

1 Pressez le demi-citron, émincez les courgettes et détaillez le chou-fleur en bouquets. Égouttez les pois chiches et rincez-les, puis lavez les épinards.

2 Mettez l'huile à chauffer dans une casserole, ajoutez la pâte de curry et faites-la revenir pendant 1 minute. Incorporez le sucre, le jus de citron et laissez cuire 1 minute. Ajoutez les courgettes et le chou-fleur, puis faites dorer 2 minutes. Incorporez la purée de tomates, 10 cl d'eau et les pois chiches. Assaisonnez, portez à ébullition et laissez mijoter 15 minutes à couvert.

3 Ajoutez les épinards, mélangez, puis ôtez la casserole du feu lorsque les épinards ont fondu. Dégustez aussitôt avec du riz.

PLATS COMPLETS

Moussaka végétarienne à la feta

Pour 4 personnes
Préparation et cuisson : 1 h

2 poivrons jaunes
2 oignons rouges
2 courgettes
1 grosse aubergine
1 cuill. à soupe d'huile d'olive
85 g de feta
1 œuf
20 cl de yaourt à la grecque
700 g de sauce tomate
2 cuill. à soupe d'origan haché
ou 2 cuill. à café d'origan séché
sel et poivre du moulin

POUR SERVIR
pain croustillant (facultatif)

1 Préchauffez le four à 180 °C (therm. 6). Épépinez les poivrons et détaillez-les en lamelles. Coupez les oignons en quartiers, les courgettes en rondelles et l'aubergine en gros morceaux, puis répartissez les légumes dans un grand plat à rôtir. Arrosez d'huile d'olive, salez, poivrez, puis enfournez pour 25 minutes.

2 Dans un saladier, émiettez la feta à l'aide d'une fourchette, puis mélangez-la avec l'œuf, le yaourt, du sel et du poivre.

3 Augmentez la température du four à 200 °C (therm. 6-7) et disposez les légumes cuits dans un autre plat allant au four. Incorporez la sauce tomate et l'origan à la préparation, puis nappez de yaourt à la feta. Enfournez pour 25 minutes et servez, si vous le souhaitez, avec du pain croustillant.

Risotto au potimarron

Pour 4 personnes

Préparation et cuisson : 30 min

1 petit oignon
1 cuill. à soupe d'huile d'olive
250 g de potimarron
ou de courge butternut
2 branches de thym
200 g de riz arborio ou carnaroli
60 cl de bouillon de légumes chaud (fait
maison ou reconstitué
à partir d'un cube)
2 cuill. à soupe de parmesan
sel et poivre du moulin

1 Pelez et hachez l'oignon, puis faites-le revenir avec l'huile, dans une grande sauteuse ou un wok à feu doux, jusqu'à ce qu'il soit translucide. Pelez et coupez le potimarron en cubes, puis ajoutez-le avec les feuilles de thym et le riz dans la sauteuse.

2 Mélangez jusqu'à ce que les grains de riz soient translucides puis versez 2 louches de bouillon, portez à ébullition en remuant et attendez que le bouillon soit complètement absorbé. Prolongez la cuisson de 18 à 20 minutes, en ajoutant le reste de bouillon chaud, louche après louche, au fur et à mesure de son absorption, jusqu'à ce que le potimarron soit tendre et le riz crémeux. Salez et poivrez.

3 Répartissez cette préparation dans des bols, râpez le parmesan et parsemez-en chaque portion.

Poivrons farcis à la semoule

Pour 2 personnes
Préparation et cuisson : 55 min

4 cuill. à soupe de bouillon
de légumes
85 g de semoule de couscous
2 cuill. à soupe de raisins secs
1 citron non traité
1 cuill. à café de miel liquide
2 gousses d'ail
1 poignée de persil plat
15 cl de yaourt nature écrémé
2 tomates
2 poivrons rouges
1 cuill. à soupe d'huile d'olive
sel et poivre du moulin

POUR SERVIR
salade verte

1 Préchauffez le four à 170 °C (therm. 5-6).
Faites chauffer le bouillon dans une casserole.
Dans un saladier résistant à la chaleur, mélangez
la semoule avec les raisins secs. Prélevez le zeste
du citron et pressez le fruit. Incorporez le miel
et le jus de citron au bouillon, versez le tout
dans le saladier, couvrez, puis laissez gonfler
la semoule pendant 5 minutes.

2 Dans le bol d'un robot, réunissez le zeste
de citron, l'ail et le persil, puis mixez le tout. Prélevez
1 cuillerée à soupe du mélange et incorporez-la
au yaourt dans un petit récipient. Hachez les tomates,
incorporez-les à la semoule avec le reste
de la préparation mixée, puis assaisonnez le tout.

3 Coupez les poivrons en deux, épépinez-les
et répartissez la semoule dans les demi-poivrons.
Disposez-les dans un plat à rôtir, arrosez-les d'huile
d'olive, puis enfournez-les pour 40 minutes. Servez
avec la sauce au yaourt et de la salade verte.

Tourte aux champignons et à la courge

Pour 6 personnes
Préparation et cuisson : 3 h

600 g d'échalotes
1 courge
1 cuill. à soupe d'huile d'olive
100 g de beurre
2 gousses d'ail
2 cuill. à café de feuilles
de romarin hachées
2 cuill. à café de feuilles
de sauge hachées
250 g de champignons de Paris
25 g de cèpes séchés réhydratés
dans 25 cl d'eau bouillante
50 g de farine
50 cl de bouillon de légumes
500 g de pâte feuilletée
prête à l'emploi
1 œuf

1 Pelez les échalotes, puis coupez-les en deux. Pelez la courge, épépinez-la, puis coupez la chair en dés. Mettez l'huile et le tiers du beurre à chauffer dans une casserole. Faites revenir les échalotes et la courge dans la casserole. Pelez l'ail, puis hachez-le. Incorporez l'ail, le romarin et la sauge à la préparation et laissez cuire 2 minutes.

2 Mettez 30 g de beurre à chauffer dans une autre casserole. Faites frire les champignons de Paris. Hachez les cèpes, puis ajoutez-les dans la casserole et laissez cuire 2 minutes. Réservez dans une assiette. Faites fondre le reste du beurre dans la même casserole. Incorporez la farine, puis laissez cuire 2 minutes en remuant. Ajoutez le bouillon et l'eau de trempage des cèpes. Portez à ébullition en remuant. Versez la sauce sur les dés de courge. Incorporez les champignons et transférez le tout dans un plat allant au four. Laissez refroidir.

3 Posez la pâte sur la préparation, puis coupez les bords qui dépassent. À cette étape de la recette, vous pouvez placer le plat au congélateur.

4 Préchauffez le four à 180 °C (therm. 6). Battez l'œuf dans un bol. Badigeonnez la pâte d'œuf, puis enfournez pour 30 à 40 minutes.

Penne aux champignons

Pour 2 personnes
Préparation et cuisson : 20 min

250 g de rosés-des-prés
3 gousses d'ail
2 cuill. à café de moutarde
à l'ancienne
15 cl de bouillon de légumes
200 g de penne
1 citron non traité
3 cuill. à soupe de persil haché
sel et poivre du moulin

1 Coupez les champignons en tranches épaisses, émincez l'ail, puis réunissez le tout dans une grande poêle avec la moutarde et le bouillon de légumes. Portez à ébullition et laissez mijoter 5 minutes, jusqu'à évaporation presque complète du liquide.

2 Pendant ce temps, faites cuire les penne de 8 à 10 minutes dans une casserole d'eau bouillante salée. Prélevez le zeste du citron et découpez-le en fines lamelles.

3 Égouttez les pâtes, ajoutez-les dans la poêle avec le persil et le zeste de citron, puis mélangez le tout. Assaisonnez selon votre goût et servez aussitôt.

Risotto aux légumes

Pour 4 personnes
Préparation et cuisson : 45 min

1 cuill. à soupe d'huile d'olive
2 gousses d'ail
1 oignon
3 tomates mûres
1,5 l de bouillon de légumes
350 g de riz arborio
1 cuill. à café de romarin haché
3 courgettes
140 g de petits pois
1 poignée de basilic
poivre du moulin

1 Mettez l'huile à chauffer dans une sauteuse. Hachez l'ail et l'oignon, puis faites-les revenir 5 minutes dans l'huile. Pendant ce temps, hachez grossièrement les tomates et faites chauffer le bouillon dans une casserole. Ajoutez les tomates dans la sauteuse, prolongez la cuisson de 4 minutes, puis incorporez le riz et le romarin à la préparation.

2 Versez la moitié du bouillon sur le risotto et laissez cuire pendant 10 minutes, jusqu'à ce que le liquide ait été absorbé, en remuant régulièrement. Ajoutez le reste du bouillon et prolongez la cuisson de 5 minutes.

3 Coupez les courgettes en petits dés, incorporez-les au risotto, puis ajoutez les petits pois et faites cuire le tout 5 minutes en remuant jusqu'à l'obtention d'un risotto crémeux. Poivrez généreusement. Froissez les feuilles de basilic, puis incorporez-les au plat et servez aussitôt.

Crumbles de légumes d'hiver

Pour 6 personnes

Préparation et cuisson : 1 h 10 à 1 h 15

450 g de céleri-rave

3 carottes

2 petites patates douces

2 poireaux

40 cl de bouillon de légumes

20 cl de crème fraîche

2 cuill. à soupe de farine

1 cuill. à soupe
de moutarde à l'ancienne

1 cuill. à café de feuilles de thym

sel et poivre du moulin

POUR LA PÂTE

50 g de beurre ramolli

50 g de farine

50 g d'amandes en poudre

50 g de parmesan râpé

25 g d'amandes effilées

1 Pelez le céleri-rave, les carottes et les patates douces, puis coupez-les en dés. Émincez les poireaux. Dans une casserole, portez le bouillon à ébullition. Ajoutez les légumes et laissez cuire 10 minutes à couvert. Dans un bol, mélangez la crème fraîche avec la farine et la moutarde, puis versez le tout dans la casserole et remuez jusqu'à ce que la préparation épaississe. Ajoutez le thym et assaisonnez. Ôtez du feu.

2 Préparez la pâte. Dans un saladier, malaxez le beurre avec la farine et les amandes en poudre. Assaisonnez, puis incorporez le parmesan et les amandes effilées à la pâte.

3 Répartissez les légumes en sauce dans six ramequins allant au four et parsemez-les de pâte. Les crumbles peuvent être assemblés un jour à l'avance et réservés au réfrigérateur. Pour les congeler, enveloppez-les d'un film alimentaire, puis d'une feuille d'aluminium.

4 Si les crumbles sont congelés, laissez-les décongeler 1 nuit entière au réfrigérateur. Préchauffez le four à 170 °C (therm. 5-6), puis enfournez et laissez cuire de 30 à 35 minutes.

Nouilles soba aux champignons et au chou

Pour 4 personnes
Préparation et cuisson : 30 min

1 gousse d'ail
250 g de champignons de Paris
1 morceau de gingembre de 2 cm
1/2 chou de Milan
4 oignons nouveaux
1 cuill. à soupe d'huile de tournesol
300 g de nouilles soba
195 g de sauce aux haricots noirs
(dans les épiceries asiatiques)
10 cl d'eau

1 Pelez l'ail, puis émincez-le. Coupez les champignons en quatre. Pelez le gingembre et détaillez-le en fines lamelles. Hachez le demi-chou, puis émincez les oignons.

2 Mettez l'huile à chauffer dans un wok ou une grande poêle antiadhésive à feu doux, puis faites revenir l'ail et le gingembre pendant 2 minutes. Ajoutez les champignons et laissez-les dorer à feu moyen pendant 4 ou 5 minutes. Incorporez le chou à la préparation, puis prolongez la cuisson de 1 minute.

3 Dans une casserole, portez de l'eau salée à ébullition et faites cuire les nouilles pendant 5 minutes. Versez la sauce aux haricots noirs dans le wok, mélangez bien, puis laissez revenir le tout 1 minute. Arrosez avec l'eau, couvrez et laissez mijoter 5 minutes. Incorporez les oignons. Égouttez les nouilles, mélangez-les à la préparation et servez aussitôt.

Hamburgers végétariens

Pour 4 personnes
Préparation et cuisson : 30 min

250 g de champignons de Paris
2 gousses d'ail
1 botte d'oignons nouveaux
400 g de pois chiches en conserve
1 cuill. à soupe d'huile d'olive
1 cuill. à soupe de curry en poudre
le zeste et le jus de 1/2 citron
non traité
85 g de chapelure fraîche de pain
complet
2 petits pains aux céréales
6 cuill. à soupe de yaourt à la grecque
1 pincée de cumin en poudre

POUR SERVIR
quelques rondelles de tomate
1 poignée de roquette

1 Hachez les champignons. Pelez l'ail, puis écrasez-le. Émincez les oignons nouveaux. Égouttez les pois chiches, puis rincez-les. Dans une poêle antiadhésive, mettez à chauffer 1 cuillerée à café d'huile, puis faites revenir les champignons, l'ail et les oignons nouveaux pendant 5 minutes. Ajoutez le curry en poudre, le zeste et le jus de citron. Mélangez le tout, puis prolongez la cuisson de 2 minutes. Laissez refroidir le contenu de la poêle dans une assiette.

2 Écrasez grossièrement les pois chiches dans un saladier. Incorporez la préparation à base de champignons et la chapelure, puis façonnez quatre steaks. Faites-les dorer à la poêle 3 ou 4 minutes de chaque côté dans le reste d'huile.

3 Coupez les pains en deux et passez-les au grille-pain. Dans un bol, mélangez le yaourt et le cumin, puis étalez la moitié de la préparation sur les pains. Ajoutez les steaks et des rondelles de tomates. Parsemez de roquette, puis servez avec le reste de yaourt au cumin.

Gratin de pâtes aux légumes

Pour 4 personnes
Préparation et cuisson : 1 h

1/2 cuill. à café d'huile d'olive
1 poireau ou 1 botte d'oignons
nouveaux
1 poivron rouge
85 g de fusilli ou de macaronis
85 g de maïs
85 g de petits pois surgelés
2 gros œufs
15 cl de lait demi-écrémé
1 cuill. à soupe de feuilles de thym
citron
50 g de cheddar ou de gruyère râpé
2 cuill. à soupe de parmesan
finement râpé
sel et poivre du moulin

1 Préchauffez le four à 170 °C (therm. 5-6) et huilez un grand plat allant au four.

2 Émincez le poireau, puis épépinez le poivron et hachez-le. Portez de l'eau salée à ébullition dans une casserole et faites cuire les pâtes pendant 8 minutes. Ajoutez le poireau, le poivron, le maïs et les petits pois dans la casserole, puis prolongez la cuisson de 2 minutes. Égouttez, transvasez le mélange dans le plat allant au four et mélangez le tout.

3 Dans un saladier, fouettez ensemble les œufs, le lait et le thym. Réunissez le cheddar et le parmesan dans un bol, puis incorporez-en les trois quarts au mélange dans le saladier. Assaisonnez selon votre goût et versez le tout dans le plat. Remuez délicatement, puis parsemez du reste de fromage. Enfournez et laissez cuire de 35 à 40 minutes. Laissez refroidir quelques minutes, puis servez.

Riz aux champignons et aux poivrons

Pour 4 personnes
Préparation et cuisson : 50 min

200 g de riz basmati
1 gros oignon
250 g de champignons de Paris
2 poivrons rouges
1 cuill. à soupe d'huile d'olive
2 cuill. à café de romarin frais haché ou
1 cuill. à café de romarin séché
400 g de tomates concassées
en conserve
45 cl de bouillon de légumes
sel et poivre du moulin

POUR SERVIR
quelques brins de persil

1 Préchauffez le four à 190 °C (therm. 6-7). Rincez le riz dans une passoire et laissez-le s'égoutter. Hachez l'oignon. Coupez les champignons en quatre. Épépinez les poivrons et coupez-les en lamelles. Mettez l'huile à chauffer dans une cocotte allant au four et faites-y revenir l'oignon pendant 5 minutes.

2 Ajoutez le romarin et les champignons dans la cocotte et faites-les revenir pendant 1 minute. Incorporez le riz en mélangeant pour l'enduire d'huile, puis les poivrons, les tomates et le bouillon. Assaisonnez. Portez à ébullition, remuez de nouveau, puis couvrez. Enfournez et laissez cuire de 20 à 25 minutes, jusqu'à ce que le riz soit cuit. Ciselez le persil, parsemez-en le plat et servez.

Rigatoni aux champignons

Pour 4 personnes
Préparation et cuisson : 25 min

20 g de champignons séchés
15 cl d'eau
300 g de rigatoni
1 oignon rouge
300 g de champignons de Paris
2 cuill. à café d'huile d'olive
quelques brins de thym frais
ou une bonne pincée de thym séché
2 cuill. à café de concentré
de tomates
sel

1 Faites tremper les champignons séchés dans l'eau bouillante, puis faites cuire les pâtes dans une grande casserole d'eau bouillante salée.

2 Pendant ce temps, hachez finement l'oignon puis émincez les champignons de Paris. Faites chauffer l'huile dans une poêle et faites revenir l'oignon à feu doux pendant 5 minutes environ. Égouttez les champignons séchés et hachez-les. Ajoutez les champignons frais et secs, le thym et le concentré de tomates dans la poêle, puis mouillez avec l'eau de trempage des champignons. Portez à ébullition.

3 Baissez le feu et laissez frémir pendant 5 minutes, jusqu'à ce que les champignons soient tendres. Égouttez les pâtes, versez-les dans la poêle et incorporez-les à la sauce.

Tourte au fromage et aux pommes de terre

Pour 6 personnes
Préparation et cuisson : 2 h

200 g d'emmental ou de comté
200 g de crème fraîche
500 g de pâte brisée
1 kg de pommes de terre
à chair farineuse
2 oignons
1 botte d'oignons nouveaux
1 pincée de noix de muscade râpée
1 pincée de paprika
1 œuf
poivre du moulin

1 Préchauffez le four à 200 °C (therm. 6-7). Coupez la moitié du fromage en petits morceaux. Râpez l'autre moitié et mélangez-la avec la crème fraîche. Étalez les deux tiers de la pâte brisée sur un plan de travail fariné. Graissez et farinez une tourtière de 23 cm de diamètre, puis foncez-la de pâte.

2 Émincez les pommes de terre et les oignons, hachez les oignons nouveaux, puis déposez-les dans la tourtière en alternant les couches avec de la crème fraîche, du poivre, de la noix de muscade et du paprika au fur et à mesure. La garniture doit former un monticule.

3 Battez l'œuf. Avec le reste de la pâte, façonnez un second disque pour fermer la tourte. Badigeonnez le bord d'œuf battu, puis posez le disque sur la tourte. Pincez les bords des deux disques de pâtes pour les souder. Badigeonnez le dessus d'œuf battu. Enfournez sur une plaque de cuisson pour 30 minutes. Abaissez la température du four à 180 °C (therm. 6) et prolongez la cuisson de 1 heure. Laissez refroidir pendant 10 minutes, puis coupez la tourte.

Pizza courgette-mozzarella

Pour 2 personnes
Préparation et cuisson : 20 min
Repos : 20 min

1 poignée de tomates cerises
1 grosse courgette
25 g de mozzarella
8 olives vertes
1 gousse d'ail
200 g de tomates concassées
en conserve
1 cuill. à café de câpres en saumure
1 cuill. à soupe d'huile d'olive

POUR LA PÂTE
100 g de farine blanche
100 g de farine complète
7 g de levure de boulanger déshydratée
1 pincée de sel
15 cl d'eau chaude

POUR SERVIR
2 cuill. à soupe de persil plat

1 Préchauffez le four à 240 °C (therm. 8).
Préparez la pâte. Dans le bol d'un robot, mixez
les ingrédients secs. Ajoutez l'eau et mixez 1 minute
de plus. Sur un plan de travail fariné, étalez la pâte
pour façonner un disque de 30 cm de diamètre,
puis posez-le sur une plaque de cuisson huilée.

2 Coupez les tomates cerises en deux
et la courgette en fines tranches à l'aide
d'un Économe. Détaillez la mozzarella
en morceaux. Hachez grossièrement les olives
et finement la gousse d'ail. Égouttez les tomates
concassées. Répartissez-les sur la pâte,
jusqu'à 2 cm des bords. Ajoutez les tomates
cerises, la courgette et la mozzarella. Égouttez
les câpres, mélangez-les avec les olives et l'ail,
puis parsemez-en la pizza. Aspergez d'un filet
d'huile et laissez lever pendant 20 minutes.

3 Enfournez la pizza et faites-la cuire
de 10 à 12 minutes. Hachez le persil,
parsemez-en la pizza et servez.

Tortellini aux légumes de printemps

Pour 2 personnes
Préparation et cuisson : 15 min

250 g de tortellini à la ricotta et aux épinards
50 g de petits pois surgelés
50 g de fèves surgelées
1 citron non traité
1 cuill. à soupe d'huile d'olive
50 g de ricotta

1 Portez de l'eau salée à ébullition dans une casserole. Faites cuire les tortellini 3 ou 4 minutes, puis transférez-les dans un grand saladier à l'aide d'une écumoire. Mettez les petits pois et les fèves dans la casserole. Portez à ébullition et laissez bouillir 1 minute, jusqu'à ce que les légumes soient cuits.

2 Pendant ce temps, râpez le zeste de citron. Égouttez les petits pois et les fèves et incorporez-les aux pâtes. Versez l'huile d'olive et ajoutez le zeste de citron. Mélangez, puis servez dans des assiettes avec la ricotta émiettée.

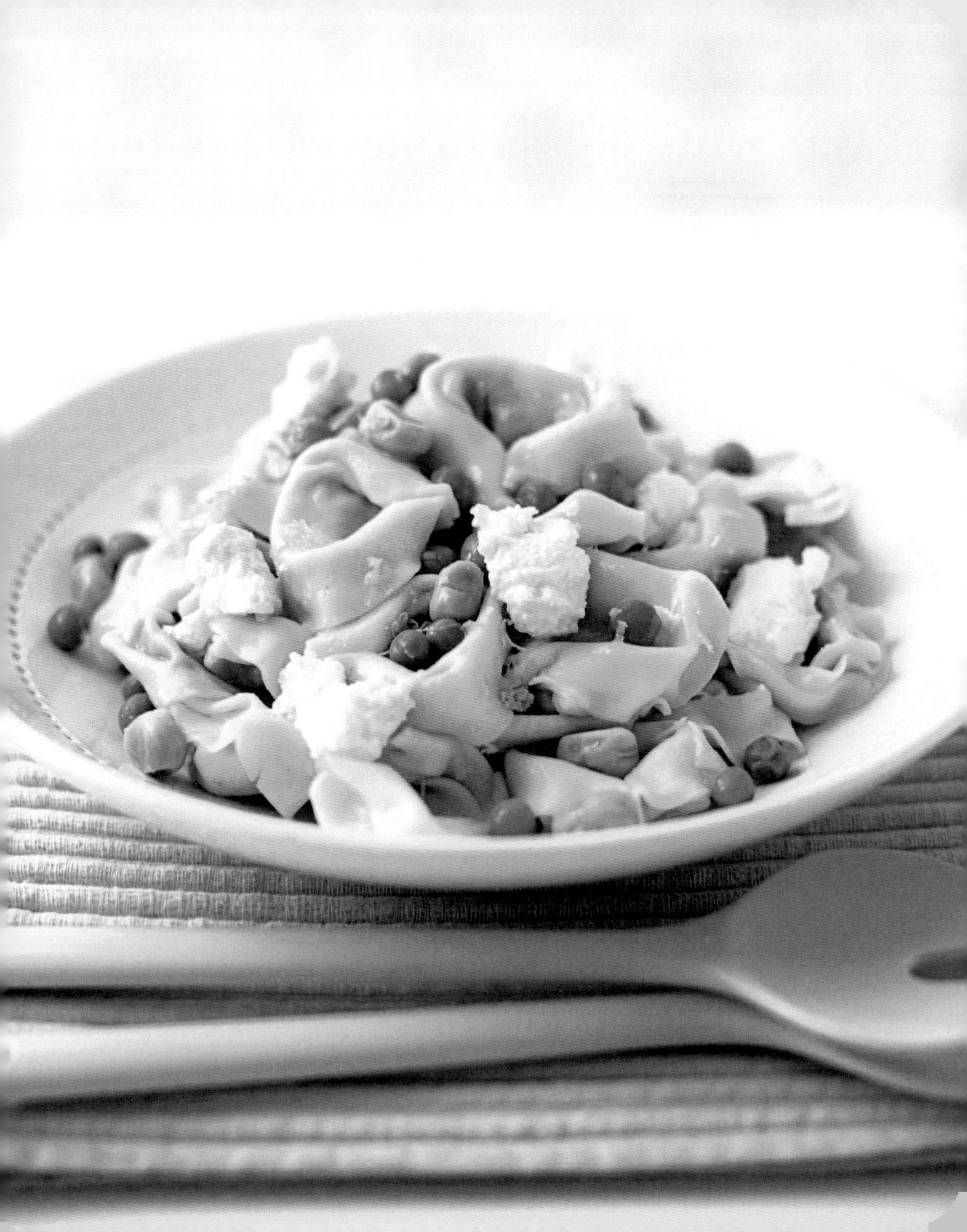

Riz sauté aux légumes et aux œufs

Pour 4 personnes
Préparation et cuisson : 45 min

200 g de riz basmati
ou 400 g de riz cuit
2 grosses carottes
200 g de chou chinois
3 oignons nouveaux
1 cuill. à soupe d'huile de tournesol
2 œufs
200 g de petits pois surgelés
1 cuill. à soupe de sauce soja
sel

POUR LA PÂTE DE PIMENT
1 ou 2 piments rouges
3 gousses d'ail
1 pincée de sel

POUR SERVIR
sauce soja (facultatif)

1 Portez une casserole d'eau à ébullition.
Faites cuire le riz 12 minutes dans l'eau bouillante,
puis égouttez-le. Pelez les carottes et coupez-les
en petits dés. Détaillez le chou chinois en fines
lamelles, puis émincez les oignons.

2 Préparez la pâte de piment. Épépinez le piment
et pelez l'ail, puis hachez le tout. Dans un bol,
mélangez la préparation avec le sel à l'aide
d'un pilon jusqu'à l'obtention d'une pâte.

3 Dans un wok ou dans une grande poêle,
mettez l'huile à chauffer à feu moyen, puis faites
revenir les carottes 5 minutes. Ajoutez le chou
et la pâte de piment, puis prolongez la cuisson
de 1 minute. Mettez le riz basmati dans la poêle
et faites-le revenir 1 minute.

4 Dans un bol, battez légèrement les œufs.
Poussez le contenu de la poêle sur un côté, puis
versez les œufs de l'autre côté et remuez jusqu'à ce
qu'ils soient brouillés. Ajoutez les oignons, les petits
pois et la sauce soja. Laissez revenir 5 minutes,
puis servez avec un peu de sauce soja, si vous
le souhaitez.

Lasagnes aux cinq légumes

Pour 4 personnes
Préparation et cuisson : 1 h
+ temps de décongélation

1 grosse aubergine
350 g de champignons de Paris
4 poivrons rouges grillés
4 cuill. à soupe d'huile d'olive
700 g de coulis de tomates
aux oignons et à l'ail
8 à 10 feuilles de lasagne
400 g d'épinards surgelés, décongelés
250 g de ricotta
25 g de parmesan râpé
25 g de pignons

POUR SERVIR
salade verte (facultatif)

1 Préchauffez le four à 180 °C (therm. 6). Coupez l'aubergine en dés, hachez les champignons et les poivrons. Faites chauffer 2 cuillerées à soupe d'huile dans une poêle antiadhésive et faites revenir l'aubergine jusqu'à ce qu'elle soit tendre. Réservez. Faites dorer les champignons dans le reste d'huile pendant quelques minutes, puis mélangez-les avec l'aubergine et ajoutez les poivrons.

2 Mettez la moitié de ces légumes dans un plat allant au four de 20 x 30 cm, nappez avec la moitié du coulis et couvrez avec des feuilles de lasagne. Étalez le reste de légumes sur les pâtes, nappez de coulis, puis couvrez à nouveau avec des lasagnes.

3 Égouttez bien les épinards, puis mélangez-les avec la ricotta et la moitié du parmesan puis étalez cette préparation sur les feuilles de lasagne. Parsemez du reste de parmesan et de pignons, couvrez avec une feuille d'aluminium et enfournez pour 20 minutes. Retirez l'aluminium, puis prolongez la cuisson de 10 minutes, jusqu'à ce que les lasagnes soient bien dorées. Servez éventuellement avec de la salade verte.

Pâtes aux artichauts et aux olives

Pour 4 personnes
Préparation et cuisson : 15 min

400 g de spaghettis
le zeste et le jus de 1 citron
3 cuill. à soupe d'huile d'olive
50 g de parmesan frais râpé
100 g de cœurs d'artichauts
1 poignée d'olives noires
100 g de roquette
sel et poivre du moulin

1 Faites cuire les pâtes dans une grande casserole d'eau bouillante salée.

2 Pendant qu'elles cuisent, mélangez le zeste et le jus de citron avec l'huile et le parmesan. Coupez les cœurs d'artichauts en morceaux.

3 Égouttez les pâtes en réservant 3 cuillerées à soupe de l'eau de cuisson. Remettez les spaghettis dans la casserole avec l'huile parfumée, l'eau de cuisson que vous avez réservée, les cœurs d'artichauts et les olives. Réchauffez le tout brièvement, salez et poivrez généreusement, incorporez la roquette et servez.

Falafels de patate douce et coleslaw

Pour 4 personnes

Préparation et cuisson : 1 h 10

4 pains pitas
4 cuill. à soupe de houmous

POUR LES FALAFELS
700 g de patates douces
2 gousses d'ail
1 poignée de feuilles de coriandre
1 cuill. à café de cumin en poudre
2 cuill. à café de coriandre en poudre
le jus de 1/2 citron
100 g de farine de pois chiches
(dans les magasins bio)
sel et poivre du moulin

POUR LE COLESLAW
1 petit oignon
1 carotte
1/4 de chou blanc
1/4 de chou rouge
2 cuill. à soupe de vinaigre
de vin rouge
1 cuill. à soupe de sucre blond

1 Préparez les falafels. Préchauffez le four à 180 °C (therm. 6). Huilez une plaque de cuisson. Faites cuire les patates douces de 8 à 10 minutes au four à micro-ondes, puis laissez-les tiédir. Pelez l'ail et hachez-le avec la coriandre. Dans un saladier, écrasez les patates douces avec l'ail et la coriandre hachés, le cumin, la coriandre en poudre, le jus de citron, la farine, puis assaisonnez. Réduisez la préparation en un mélange homogène à l'aide d'un presse-purée. Façonnez 20 falafels et disposez-les sur la plaque de cuisson. Enfournez pour 30 minutes en les retournant à mi-cuisson.

2 Pendant ce temps, préparez le coleslaw. Pelez l'oignon et émincez-le, puis râpez la carotte. Détaillez les choux en lamelles. Dans un saladier, mélangez le vinaigre avec le sucre jusqu'à ce qu'il soit dissous. Ajoutez l'oignon, la carotte et les choux, remuez, puis laissez mariner 15 minutes.

3 Au moment de servir, faites griller les pains pitas. Ouvrez-les, puis garnissez chacun de 1 cuillerée à café de houmous, d'un peu de coleslaw et de quelques falafels. Servez aussitôt.

Pappardelle aux épinards et à la courge

Pour 4 personnes
Préparation et cuisson : 25 min

250 g de pappardelle
1 petite courge
1 gousse d'ail
4 champignons de paris bruns
2 cuill. à soupe d'huile d'olive
1 petite poignée de pignons de pin
250 g d'épinards

POUR SERVIR
parmesan râpé (facultatif)
piment en poudre (facultatif)

1 Faites cuire les pâtes de 8 à 10 minutes dans une casserole d'eau bouillante salée. Pelez la courge, épépinez-la et coupez-la en gros dés. Ajoutez-les dans l'eau des pâtes 5 minutes avant la fin du temps de cuisson.

2 Pendant ce temps, hachez l'ail et coupez les champignons en tranches. Mettez la moitié de l'huile à chauffer dans une grande poêle, puis faites frire les pignons de pin jusqu'à ce qu'ils commencent à dorer. Ajoutez l'ail et laissez-le revenir 1 minute. Versez le reste de l'huile dans la poêle, augmentez le feu, puis incorporez les champignons au mélange et prolongez la cuisson de 2 ou 3 minutes. Ajoutez les épinards, baissez le feu, et laissez cuire 1 ou 2 minutes à feu doux.

3 Égouttez les pâtes et les morceaux de courge, puis incorporez-les aux épinards. Si vous le souhaitez, servez avec du parmesan râpé et du piment en poudre.

Gratins de pommes de terre à la mimolette

Pour 6 personnes
Préparation et cuisson : 1 h

beurre pour les plats
1,2 kg de pommes de terre
à chair ferme
1 gousse d'ail
1 oignon
2 cuill. à soupe d'huile d'olive
15 cl de crème fraîche
12,5 cl de lait
200 g de mimolette
30 g de parmesan
sel

1 Préchauffez le four à 160 °C (therm. 5-6). Beurrez six plats à gratins individuels ou un plus grand.

2 Pelez les pommes de terre, coupez-les en petits cubes, portez à ébullition de l'eau salée dans une grande casserole et plongez-y les pommes de terre. Lorsqu'elles sont tendres, égouttez-les. Hachez l'ail et l'oignon et faites-les revenir 5 minutes à feu modéré avec l'huile jusqu'à ce qu'ils soient bien fondants.

3 Mélangez la crème fraîche et le lait dans un grand récipient, ajoutez les pommes de terre, l'oignon et l'ail. Râpez la mimolette et le parmesan, ajoutez ces deux fromages dans le récipient et remuez bien l'ensemble. Répartissez le mélange dans les plats à gratins, enfournez et laissez cuire 45 à 50 minutes, jusqu'à ce que la surface soit dorée. Laissez reposer 10 minutes avant de servir.

Riz et légumes au curry

Pour 4 personnes
Préparation et cuisson : 45 min

1 oignon
2 carottes
1 chou-fleur
100 g de petits pois surgelés
2 cuill. à soupe d'huile
de tournesol
200 g de riz basmati
50 g de lentilles corail
3 cuill. à soupe bombées
de pâte de curry korma
1 poignée de noix de cajou
grillées

POUR SERVIR
yaourt nature
chutney de mangue

1 Pelez l'oignon et hachez-le. Épluchez les carottes et coupez-les en dés. Détaillez le chou-fleur en bouquets et faites décongeler les petits pois.

2 Mettez l'huile à chauffer dans une casserole, ajoutez l'oignon et les carottes, puis laissez-les dorer 5 minutes. Incorporez le riz et les lentilles, faites-les revenir pendant 1 minute, puis ajoutez la pâte de curry et 90 cl d'eau. Portez à ébullition et laissez cuire 10 minutes à couvert.

3 Ajoutez le chou-fleur et prolongez la cuisson de 10 minutes. Incorporez les petits pois 2 minutes avant la fin de la cuisson. Parsemez le plat de noix de cajou et servez-le accompagné de yaourt et de chutney.

Nouilles asiatiques au tofu

Pour 2 personnes
Préparation et cuisson : 25 min

140 g de tofu
3 oignons nouveaux
1 morceau de gingembre de 3 cm
1 poivron rouge
2 cuill. à soupe d'huile de tournesol
100 g de haricots mange-tout
300 g de nouilles de riz
100 g de germes de soja
1 cuill. à café de pâte de curry
tikka masala
2 cuill. à café de sauce soja
pauvre en sel
1 cuill. à soupe de sauce
au piment doux
1 cuill. à soupe d'eau

POUR SERVIR
1 citron vert
1 bouquet de coriandre

1 Rincez le tofu à l'eau froide, coupez-le en petits dés et épongez-le avec du papier absorbant. Émincez les oignons. Hachez le gingembre. Épépinez le poivron puis émincez-le.

2 Faites chauffer 1 cuillerée à soupe d'huile dans un wok ou une grande poêle. Faites revenir le tofu 2 ou 3 minutes à feu doux, puis égouttez-le sur du papier absorbant.

3 Versez le reste de l'huile dans le wok et augmentez le feu. Ajoutez les oignons, le gingembre, le poivron et les haricots mange-tout, puis faites-les sauter pendant 1 minute. Incorporez les nouilles et les germes de soja. Dans un bol, mélangez la pâte de curry avec la sauce soja, la sauce au piment et l'eau, puis versez le tout dans le wok et mélangez bien. Coupez le citron vert en quartiers. Ciselez la coriandre et parsemez-en le plat. Servez avec des quartiers de citron.

Risotto à la courge et à la sauge

Pour 4 personnes
Préparation et cuisson : 50 min

2 ½ cuill. à soupe d'huile d'olive
1 poignée de feuilles de sauge
4 cèpes séchés
2 l de bouillon de légumes chaud
pauvre en sel
1 poignée de persil plat
2 gousses d'ail
1 oignon
2 brins de thym
700 g de courge
350 g de riz arborio
10 cl de vin blanc sec
50 g de parmesan râpé
2 cuill. à soupe de mascarpone
sel et poivre du moulin

1 Dans une casserole, faites chauffer 1/2 cuillerée à soupe d'huile. Ciselez 6 feuilles de sauge. Faites frire les autres dans la casserole, puis égouttez-les sur du papier absorbant. Émincez les cèpes et mettez-les à tremper dans le bouillon. Ciselez le persil, hachez finement l'ail et l'oignon, puis effeuillez le thym. Pelez la courge, puis coupez-la en dés. Dans la casserole, faites chauffer à feux doux le reste d'huile, puis faites revenir l'ail, l'oignon, la sauge ciselée, le thym et la courge pendant 10 minutes. Ajoutez le riz. Laissez cuire à feu moyen en mélangeant pendant 3 minutes. Versez le vin dans la casserole et prolongez la cuisson de 1 minute.

2 Transvasez petit à petit les trois quarts du bouillon (sans les cèpes) dans la casserole à l'aide d'une louche, sans cesser de remuer. Arrêtez la cuisson quand le riz est tendre, mais un peu croquant. Assaisonnez.

3 Incorporez le reste du bouillon avec les cèpes, le persil haché, la moitié du parmesan râpé et le mascarpone. Laissez cuire 3 ou 4 minutes à couvert. Mélangez, puis servez parsemé du reste du parmesan et des feuilles de sauge.

Fusilli à l'aubergine et à la tomate

Pour 2 personnes

Préparation et cuisson : 20 min

1 grosse aubergine
300 g de tomates cerises
2 cuill. à soupe d'huile d'olive
2 grosses gousses d'ail
1 cuill. à soupe de vinaigre balsamique
1 cuill. à café de sucre en poudre
250 g de fusilli
1 poignée de feuilles de basilic
sel et poivre du moulin

POUR SERVIR
quelques feuilles de basilic

1 Préchauffez le four à 220 °C (therm. 7-8). Coupez l'aubergine en gros morceaux et les tomates en deux. Versez l'huile dans un plat à gratin, puis disposez les morceaux d'aubergine et les gousses d'ail dans le plat. Assaisonnez et remuez jusqu'à ce que les ingrédients soient bien enrobés d'huile. Enfournez pour 10 minutes. Ajoutez les tomates, le vinaigre et le sucre, puis prolongez la cuisson de 5 minutes.

2 Pendant ce temps, portez une grande casserole d'eau salée à ébullition et faites cuire les pâtes 8 minutes. Égouttez-les, puis réservez.

3 Retirez les gousses d'ail du plat. Posez-les sur une planche à découper, coupez leurs extrémités et pressez-les pour les vider de leur contenu. À l'aide d'une fourchette, écrasez la pulpe d'ail, puis ajoutez-la aux légumes avec le basilic, en écrasant les tomates. Incorporez les pâtes à la préparation, puis répartissez-la dans deux assiettes creuses. Parsemez de feuilles de basilic et servez.

Pizza à la courge et à la feta

Pour 4 à 6 personnes

Préparation et cuisson : 45 min

500 g de préparation pour pâte
à pizza
2 oignons rouges
4 ou 5 brins de romarin
1 grosse courge
1 cuill. à soupe d'huile d'olive
1 cuill. à soupe de sucre en poudre
2 cuill. à soupe de vinaigre balsamique
100 g de feta
sel et poivre du moulin

POUR SERVIR
salade verte (facultatif)

1 Préparez la pâte à pizza, puis pétrissez-la pendant quelques minutes en ajoutant un peu de farine pour qu'elle ne colle pas. Divisez-la en deux parts égales, étalez-les pour former deux cercles et déposez-les sur une plaque de cuisson antiadhésive. Émincez les oignons, puis effeuillez 3 brins de romarin et hachez leurs feuilles. Pelez la courge, épépinez-la et coupez la chair en petits dés.

2 Mettez l'huile à chauffer dans une grande poêle, puis faites frire la courge, les oignons et le romarin haché pendant 5 minutes. Ajoutez 20 cl d'eau et laissez cuire 10 minutes à feu vif, en remuant régulièrement, jusqu'à ce que le liquide réduise.

3 Préchauffez le four à 200 °C (therm. 6-7). Incorporez le sucre, le vinaigre, du sel et du poivre à la préparation, puis étalez-la sur les cercles de pâte. Parsemez du reste de romarin, émiettez la feta sur les deux pizzas et arrosez d'un filet d'huile d'olive. Enfournez pour 15 minutes et servez éventuellement avec de la salade verte.

Couscous épicé aux amandes

Pour 6 personnes

Préparation et cuisson : 10 min

Repos : 10 min

2 oignons rouges
2 cuill. à soupe d'huile d'olive
1 dosette de safran (facultatif)
40 cl de bouillon de légumes bouillant
(fait maison ou reconstitué
à partir d'un cube)
1 piment rouge
500 g de semoule de couscous
moyenne
1 poignée de feuilles de coriandre
1 poignée de dattes
(si possible des dattes medjoul)
50 g d'amandes entières mondées
le jus de 1/2 citron

1 Pelez et émincez les oignons. Faites-les revenir 5 minutes dans une sauteuse avec l'huile d'olive, jusqu'à ce qu'ils soient translucides. Si vous utilisez du safran, mettez-le à infuser dans le bouillon pour qu'il lui donne son goût et sa couleur.

2 Hachez finement le piment, et ajoutez-le dans la sauteuse. Faites frire encore 1 minute et retirez du feu. Versez la semoule dans la sauteuse avec le bouillon très chaud et couvrez. Laissez reposer 10 minutes.

3 Quand tout le bouillon a été absorbé, ciselez la coriandre et répartissez-la sur la semoule. Hachez grossièrement les dattes. Faites griller légèrement les amandes. Ajoutez les amandes, les dattes et le jus de citron à la semoule, mélangez rapidement à la fourchette pour séparer la graine et servez. Si vous servez ce couscous froid, mettez la coriandre au dernier moment, quand la semoule a refroidi.

Riz épicé aux raisins et aux noix de cajou

Pour 4 personnes

Préparation et cuisson : 20 min

2 oignons
2 cuill. à soupe d'huile de tournesol
1 cuill. à café bombée de sel
1/2 cuill. à café de curcuma
1 bâton de cannelle
200 g de riz long grain
6 graines de cardamome
1 cuill. à café de graines de cumin
1 grosse poignée de raisins secs
1 grosse poignée de noix
de cajou grillées

1 Pelez les oignons, puis émincez-les. Dans une grande poêle, faites chauffer l'huile et mettez les oignons à blondir pendant 12 minutes.

2 Portez à ébullition une grande casserole d'eau, puis ajoutez le sel, le curcuma et la cannelle. Plongez le riz dans l'eau et laissez reprendre l'ébullition en remuant. Réduisez légèrement le feu, puis laissez cuire à découvert pendant 10 minutes. Égouttez le riz, rincez-le à l'eau bouillante et laissez égoutter de nouveau.

3 Écrasez les graines de cardamome, puis incorporez-les aux oignons avec le cumin et faites revenir rapidement le tout. Ajoutez les raisins secs, les noix de cajou et le riz. Mélangez et servez aussitôt.

ENERGÉTIQUES & ANTI-FRINGALE

Muffins aux trois fromages et à l'oignon

Pour 12 muffins
Préparation et cuisson : 50 min

15 cl d'huile de tournesol
1 gros œuf
30 cl de crème fraîche additionnée
de quelques gouttes de jus de citron
15 cl de lait
500 g de farine
1 cuill. à soupe de levure
1 cuill. à café de sel
1 botte d'oignons nouveaux
1 petit bouquet de ciboulette
140 g de cheddar râpé
200 g de feta
25 g de parmesan râpé

1 Préchauffez le four à 180 °C (therm. 6) et graissez douze alvéoles d'un moule à muffins. Dans un saladier, fouettez l'huile avec l'œuf, la crème fraîche et le lait. Dans un autre saladier, mélangez la farine avec la levure et le sel. Préparez les oignons, émincez-les et ciselez la ciboulette, puis incorporez le tout au mélange à base de farine avec le cheddar.

2 Détaillez la feta en dés de 1 ou 2 cm de côté. Intégrez la préparation à base de crème fraîche aux ingrédients secs à l'aide d'une cuillère à soupe, sans trop mélanger, puis ajoutez les dés de fromage. Répartissez la pâte dans le moule. Parsemez de parmesan, puis enfournez pour 25 minutes.

Petits pains au roquefort
et aux noix

Pour 8 personnes

Préparation et cuisson : 50 min

Repos de la pâte : 2 h

200 g de farine de sarrasin
2 cuill. à soupe de farine de soja
200 g de fécule de maïs
85 g de fécule de pomme de terre
2 cuill. à café de gomme de xanthane
7 g de levure de boulanger
1 cuill. à soupe de sucre en poudre
1 ½ cuill. à café de sel
40 cl d'eau tiède
5 cuill. à soupe de yaourt nature
2 cuill. à soupe d'huile d'olive
1 cuill. à soupe de vinaigre
de vin blanc
140 g de cerneaux de noix
250 g de roquefort
2 œufs

1 Dans un saladier, réunissez les farines, les fécules, la gomme de xanthane, la levure, le sucre et le sel. Dans un autre récipient, mélangez l'eau tiède avec le yaourt, l'huile et le vinaigre. Versez la préparation liquide sur les ingrédients secs et remuez jusqu'à l'obtention d'une pâte souple. Couvrez-la d'un film alimentaire huilé, puis laissez-la lever 1 heure dans un endroit chaud.

2 Hachez les noix et intégrez-les à la pâte. Farinez légèrement le plan de travail, puis étalez-y la pâte en un rectangle de 50 x 20 cm. Émiettez le roquefort au-dessus de la pâte et appuyez légèrement dessus. Graissez légèrement une plaque de cuisson. Roulez la pâte en commençant par l'un des bords courts, puis coupez le cylindre en 8 morceaux et transposez-les sur la plaque de cuisson. Couvrez de film alimentaire et laissez lever 1 heure.

3 Préchauffez le four à 220 °C (therm. 7-8). Battez les œufs dans un bol et badigeonnez-en les petits pains, puis enfournez pour 20 minutes. Laissez tiédir quelques minutes et servez.

Scones au fromage et aux flocons d'avoine

Pour 12 à 15 scones
Préparation et cuisson : 25 min

200 g de farine à levure incorporée
50 g de beurre ramolli
25 g de flocons d'avoine
100 g de cheddar ou de gruyère râpé
15 cl de lait

1 Préchauffez le four à 220 °C (therm. 7-8). Dans un grand saladier, malaxez du bout des doigts la farine avec le beurre. Ajoutez les flocons d'avoine, 85 g de fromage râpé et le lait, puis mélangez jusqu'à l'obtention d'une pâte souple, en ajoutant du lait si la pâte est trop sèche.

2 Farinez légèrement le plan de travail et abaissez la pâte à 2 cm d'épaisseur. Découpez des disques à l'aide d'un emporte-pièce de 4 cm de diamètre – sans le faire tourner sur lui-même pour que les scones gonflent uniformément. Pétrissez les chutes de pâte et répétez l'opération.

3 Transférez les scones sur une plaque de cuisson antiadhésive. Saupoudrez du reste de fromage râpé et enfournez pour 15 minutes. Laissez refroidir sur une grille, puis servez.

Muffins au maïs et au cheddar

Pour 12 muffins

Préparation et cuisson : 55 min à 1 h 05

1/2 piment rouge
1 petit oignon
1 gros épi de maïs
90 g de beurre
140 g de farine
140 g de polenta ou de fécule de maïs
2 cuill. à café de levure
1 cuill. à café de gomme de xanthane
50 g de cheddar râpé
1 cuill. à café de sel
2 œufs
30 cl de crème fraîche additionnée
de quelques gouttes de jus de citron
10 cl de lait

1 Épépinez le piment et pelez l'oignon, puis hachez-les. Prélevez les grains de l'épi de maïs, mettez-les dans une casserole avec le piment, l'oignon et 1 noisette de beurre, puis laissez frire de 5 à 10 minutes.

2 Préchauffez le four à 180 °C (therm. 6). Faites fondre le beurre restant et badigeonnez douze alvéoles d'un moule à muffins d'un peu du beurre fondu. Dans un saladier, mélangez la farine avec la polenta, la levure, la gomme de xanthane, le cheddar et le sel. Battez les œufs avec la crème fraîche et le lait dans un bol, puis incorporez le tout aux ingrédients secs avec le reste du beurre fondu et la préparation à base de maïs.

3 Répartissez la pâte dans les alvéoles du moule, puis enfournez et laissez cuire de 25 à 30 minutes (la pointe d'un couteau piquée au centre d'un muffin doit en ressortir propre). Servez chaud.

Muesli aux fruits

Pour 14 personnes
Préparation et cuisson : 35 min

1 cuill. à soupe d'huile végétale
10 cl de miel liquide
3 cuill. à soupe de sirop d'érable
500 g de flocons d'avoine
100 g d'amandes effilées
50 g de pignons de pin
100 g de riz soufflé
2 cuill. à café de graines de sésame
85 g de dattes séchées
85 g d'abricots séchés
50 g de raisins secs
85 g de cranberries séchées
85 g de cerises séchées
50 g de noix de coco séchée,
en lamelles ou râpée

POUR SERVIR
yaourt
framboises

1 Préchauffez le four à 140 °C (therm. 4-5). Dans une casserole, faites chauffer l'huile avec le miel et le sirop d'érable. Dans un saladier, mélangez les flocons d'avoine avec les amandes, les pignons de pin, le riz soufflé et les graines de sésame. Versez la préparation à base de miel dans le saladier et remuez. Transvasez le tout dans un moule à gâteau, puis enfournez pour 15 minutes.

2 Sortez du four et laissez refroidir. Cassez le muesli en morceaux. Hachez les dattes et les abricots, puis incorporez-les au muesli avec les raisins secs, les cranberries, les cerises et la noix de coco. Conservez dans un bocal hermétique et servez au cours des 2 semaines suivantes avec du yaourt et des framboises.

Cake à la pomme et aux raisins secs

Pour 10 tranches

Préparation et cuisson : 3 ou 4 h

175 g de beurre
180 g de sucre roux
3 œufs
1 pomme à couteau
(reinette par exemple) bio
1 cuill. à café d'extrait de vanille
200 g de raisins secs
85 g d'amandes en poudre
1 cuill. à café de levure chimique
175 g de farine
1 cuill. à café de cannelle en poudre
1/2 cuill. à café de noix de muscade
1 pincée de sel
le jus de 1 citron ou 1 orange

POUR LE GLAÇAGE
1 cuill. à soupe de marmelade
ou de confiture d'abricot

POUR SERVIR
beurre (facultatif)

1 Posez une soucoupe à l'envers dans la cocotte de la mijoteuse. Beurrez un moule à cake, puis tapissez-le de papier sulfurisé. Dans un saladier, fouettez le beurre avec 175 g de sucre jusqu'à ce que le mélange blanchisse. Battez les œufs dans un bol et incorporez-les progressivement au mélange. Râpez la moitié de la pomme, puis intégrez-la à la préparation avec l'extrait de vanille, les raisins secs et les amandes en poudre. Dans un autre récipient, mélangez la levure avec la farine, les épices et le sel. Incorporez le tout à la préparation. Versez la pâte dans le moule et lissez sa surface.

2 Tranchez finement le reste de la pomme. Plongez-les dans le jus de citron, puis enfoncez-les dans la pâte. Saupoudrez du reste du sucre. Mettez le moule dans la cocotte de la mijoteuse, couvrez et laissez mijoter 2 ou 3 heures. La pointe d'un couteau piquée au centre du cake doit en ressortir propre. Laissez refroidir dans le moule.

3 Préparez le glaçage : dans une petite casserole, faites fondre la marmelade, puis badigeonnez-en le dessus du cake. Tranchez le cake et servez-le éventuellement avec un peu de beurre.

Barres de céréales aux abricots et aux pistaches

Pour 16 barres

Préparation et cuisson : 50 min

140 g de beurre
140 g de sucre roux
2 cuill. à soupe de miel
85 g de pistaches
140 g d'abricots séchés
175 g de flocons d'avoine

1 Dans une casserole à feu doux, faites chauffer le beurre avec le sucre et le miel jusqu'à l'obtention d'un mélange homogène. Décortiquez les pistaches, puis hachez-les avec les abricots. Mettez-les dans un saladier avec les flocons d'avoine, puis versez le beurre fondu dans le saladier et remuez.

2 Préchauffez le four à 140 °C (therm. 4-5). Graissez un moule à gâteau carré de 20 cm de côté et tapissez-le de papier sulfurisé. Versez la préparation dans le moule, puis enfournez et laissez cuire de 35 à 40 minutes.

3 Sortez du four. Laissez la préparation refroidir dans le moule, puis découpez-la en 16 barres. Celles-ci peuvent être conservées 4 jours dans une boîte hermétique.

Muesli aux fruits secs

Pour 1 kg de muesli
Préparation et cuisson : 2 h 15

12,5 cl d'huile de tournesol
10 cl d'extrait de malt
(dans les magasins bio)
10 cl de miel liquide
250 g de petits flocons d'avoine
250 g de gros flocons d'avoine
25 g de noix de coco râpée
50 g de graines de tournesol
25 g de graines de sésame
100 g de fruits secs mélangés
(par exemple raisins de Smyrne,
abricots et dattes)
140 g de noix du Brésil

POUR SERVIR
yaourt
myrtilles

1 Versez l'huile, l'extrait de malt et le miel dans la cocotte de la mijoteuse, puis laissez mijoter le tout 30 minutes à découvert à haute température. Incorporez les flocons d'avoine, la noix de coco, les graines de tournesol et de sésame au mélange. Couvrez et laissez mijoter 45 minutes à basse température. Retirez le couvercle, puis prolongez la cuisson de 30 minutes.

2 Transférez la préparation dans un moule ou un saladier résistant à la chaleur et laissez légèrement refroidir. Pendant ce temps, hachez les fruits secs les plus gros. Incorporez les noix du Brésil et le reste des fruits secs à la préparation. Laissez refroidir complètement, puis servez avec du yaourt et des myrtilles ou transférez le muesli dans une boîte hermétique.

Biscuits de flocons d'avoine

Pour 18 biscuits

Préparation et cuisson : 40 à 50 min

175 g de beurre
1 morceau de gingembre de 3 cm
100 g d'abricots secs
175 g de cassonade
100 g de mélasse ou de miel liquide
85 g de farine avec levure incorporée
1/2 cuill. à café de bicarbonate
de soude
250 g de flocons d'avoine
1 cuill. à café de cannelle en poudre
75 g de cerises séchées
2 cuill. à soupe d'eau bouillante
1 œuf moyen

1 Préchauffez le four à 180 °C (therm. 6).
Tapissez deux plaques de cuisson de papier
sulfurisé. Détaillez le beurre en morceaux. Râpez
le gingembre. Hachez les abricots secs.

2 Dans une casserole, faites fondre le beurre
à feu doux avec la cassonade et la mélasse,
puis incorporez successivement la farine,
le bicarbonate de soude, les flocons d'avoine,
la cannelle, les fruits secs et le gingembre. Ajoutez
l'eau et l'œuf battu et mélangez. Laissez refroidir.

3 Avec les mains mouillées, façonnez dix-huit
boulettes de pâte, disposez-les sur les plaques
de cuisson, suffisamment écartées les unes
des autres, et aplatissez-les un peu. Laissez cuire
de 15 à 20 minutes, jusqu'à ce que les biscuits
soient dorés. À ce stade, les biscuits sont moelleux
et collants. Si vous les préférez plus croustillants,
prolongez la cuisson de 10 minutes à 160 °C
(therm. 5-6).

4 Laissez-les refroidir brièvement avant de les
transférer sur une grille. Disposés sur des feuilles
de papier sulfurisé dans un récipient hermétique,
ces biscuits se conservent 1 semaine.

Biscotti aux fruits secs et aux épices

Pour 72 biscotti

Préparation et cuisson : 1 h 15

3 gros œufs
350 g de farine
2 cuill. à café de levure
2 cuill. à café de quatre-épices
(ou cannelle, poivre, muscade,
clous de girofle à parts égales)
250 g de sucre blond
le zeste de 1 orange non traitée
50 g de pistaches
85 g de raisins secs
85 g de cerises séchées
50 g d'amandes émondées

1 Préchauffez le four à 180 °C (therm. 6). Tapissez deux plaques de cuisson de papier sulfurisé. Dans un grand saladier, mélangez la farine avec la levure, les épices et le sucre. Battez les œufs dans un bol, ajoutez-les à la préparation avec le zeste d'orange et malaxez le tout du bout des doigts. Décortiquez les pistaches, puis incorporez-les dans le saladier avec les raisins secs, les cerises et les amandes. Mélangez soigneusement le tout.

2 Divisez la préparation en quatre. Farinez vos mains, puis façonnez quatre boudins de pâte de 30 cm et déposez-les sur les plaques de cuisson. Enfournez pour 30 minutes – la pâte doit être pâle, mais gonflée et ferme. Laissez refroidir quelques minutes. Pendant ce temps, abaissez la température du four à 140 °C (therm. 4-5).

3 Coupez les pains en biseau en tranches de 1 cm d'épaisseur et posez-les sur les plaques de cuisson. Enfournez pour 15 minutes. Retournez les biscotti, prolongez la cuisson de 15 minutes, puis laissez refroidir sur une grille et servez.

Barres de céréales aux flocons d'avoine

Pour 10 barres

Préparation et cuisson : 45 min

175 g de beurre
100 g de sucre roux
1 bonne cuill. à soupe
de sirop d'érable
225 g de flocons d'avoine

1 Préchauffez le four à 170 °C (therm. 5-6). Graissez un moule carré de 20 cm de côté, puis tapissez-le de papier sulfurisé. Dans une casserole à feu doux, faites fondre le beurre avec le sucre et le sirop d'érable jusqu'à l'obtention d'un sirop foncé.

2 Arrêtez le feu et incorporez les flocons d'avoine à la préparation. Versez-la dans le moule, puis enfournez et laissez cuire de 20 à 25 minutes – la préparation doit être légèrement plus foncée sur les bords. Sortez le moule du four et, à l'aide d'un couteau, tracez les contours de 10 barres sur la pâte. Laissez reposer quelques minutes, puis découpez en suivant les traits. Quand la pâte est froide, glissez un couteau à lame ronde le long des bords du moule et démoulez sur une planche à découper. Ôtez le papier sulfurisé et séparez les barres. Elles peuvent se garder 3 jours dans une boîte hermétique.

Riz au lait à la banane

Pour 2 personnes
Préparation et cuisson : 20 min

1 cuill. à soupe de poudre pour
crème anglaise
40 cl de lait écrémé
1 banane
2 cuill. à soupe de sucre demerara
ou de sucre roux
85 g de riz rond
1/4 cuill. à café de cannelle en poudre

1 Dans un plat adapté au micro-ondes,
délayez la crème anglaise avec un peu de lait,
puis ajoutez progressivement le reste du lait,
sans cesser de mélanger pour éviter les grumeaux.
Épluchez la banane, coupez-la en rondelles
et incorporez-en la moitié à la crème. Saupoudrez
de 1 cuillerée à soupe de sucre demerara, remuez,
couvrez le plat, puis faites cuire le mélange
au micro-ondes 3 minutes à puissance maximale.
Incorporez le riz à la préparation, couvrez et
prolongez la cuisson de 6 minutes au micro-ondes
en brassant l'ensemble à mi-cuisson.

2 Ajoutez le reste de la banane au riz au lait,
puis mélangez délicatement le tout. Couvrez
et laissez cuire au micro-ondes de 3 à 5 minutes
en remuant toutes les minutes.

3 Mélangez le reste de sucre avec la cannelle
dans un bol. Répartissez le riz au lait dans deux
bols, parsemez de sucre à la cannelle, puis servez.

Tarte aux fruits secs

Pour 4 personnes

Préparation et cuisson : 35 min

200 g de mélange de fruits secs
1 orange
230 g de pâte feuilletée pur beurre,
prête à l'emploi
3 cuill. à soupe de confiture d'abricots
200 g de pâte d'amande

POUR SERVIR
glace à la vanille ou crème fraîche
(facultatif)

1 Déposez les fruits secs dans un grand bol, râpez le zeste de l'orange et incorporez-le aux fruits. Pressez l'orange, versez le jus dans le bol puis laissez les fruits tremper.

2 Déroulez la pâte feuilletée puis façonnez un fond de tarte rectangulaire, en formant un rebord autour. Étalez la confiture sur la pâte et mettez-la au frais 10 minutes.

3 Préchauffez le four à 220 °C (therm. 7-8). Égouttez les fruits, remettez-les dans le bol, puis émiettez la pâte d'amande. Incorporez la pâte d'amande aux fruits et mélangez bien l'ensemble. Étalez cette préparation sur le fond de tarte.

4 Enfournez et laissez cuire 20 minutes, jusqu'à ce que la pâte soit gonflée et dorée. Découpez cette tarte en parts et servez avec de la glace à la vanille ou de la crème fraîche, si vous le souhaitez.

Barres de céréales aux prunes et aux noisettes

Pour 18 barres

Préparation et cuisson : 1 h 30

450 g de prunes
1/2 cuill. à café de quatre-épices
(ou cannelle, poivre, muscade,
clous de girofle à parts égales)
300 g de sucre roux
1 pincée de sel
350 g de beurre
50 g de noisettes
300 g de flocons d'avoine
140 g de farine
3 cuill. à soupe de sirop d'érable

1 Dénoyautez les prunes et coupez-les en tranches, puis mélangez-les avec le quatre-épices, 50 g de sucre et le sel dans un saladier. Réservez.

2 Pendant ce temps, dans une casserole à feu doux, faites fondre le beurre. Hachez les noisettes, puis mélangez-les dans un saladier avec les flocons d'avoine, la farine et le reste du sucre. Incorporez le beurre fondu et le sirop d'érable à la préparation.

3 Préchauffez le four à 180 °C (therm. 6) et graissez un moule carré de 20 cm de côté. Versez-y la moitié de la pâte. Tassez bien, puis répartissez les prunes dessus en une couche régulière. Versez le reste de la pâte et tassez de nouveau. Enfournez pour 45 minutes. Laissez refroidir, puis découpez en 18 barres.

Carrés aux mûres et à la noix de coco

Pour 12 carrés

Préparation et cuisson : 1 h 30

250 g de farine à levure incorporée
25 g de flocons d'avoine
280 g de vergeoise
200 g de beurre froid
75 g de noix de coco râpée
2 œufs
350 g de mûres

1 Préchauffez le four à 180 °C (therm. 6). Dans un grand saladier, mélangez la farine avec les flocons d'avoine et la vergeoise. Coupez le beurre en morceaux et incorporez-les au mélange, jusqu'à l'obtention d'une pâte sableuse. Ajoutez la noix de coco, remuez, puis réservez une tasse du mélange.

2 Battez les œufs dans un bol et incorporez-les à la préparation. Tapissez un moule rectangulaire de 31 x 17 cm ou un moule carré de 21 cm de côté de papier sulfurisé. Versez la pâte dans le moule, lissez sa surface avec le dos d'une cuillère et parsemez-la de mûres.

3 Couvrez avec la pâte sableuse réservée, puis enfournez pour 1 h 15. Laissez refroidir, puis démoulez et coupez en carrés.

Index des recettes par ordre alphabétique

TABLE DES ÉQUIVALENCES FRANCE-CANADA									
Poids	55 g	100 g	150 g	200 g	250 g	300 g	500 g	750 g	1 kg
	2 onces	3,5 onces	5 onces	7 onces	9 onces	11 onces	18 onces	27 onces	36 onces

Ces équivalences permettent de calculer le poids à quelques grammes près (en réalité, 1 once = 28 g).

Capacités	5 cl	10 cl	15 cl	20 cl	25 cl	50 cl	75 cl
	2 onces	3,5 onces	5 onces	7 onces	9 onces	17 onces	26 onces

Pour faciliter la mesure des capacités, une tasse équivaut ici à 25 cl (en réalité, 1 tasse = 8 onces = 23 cl).

Crédits photographiques

Iain Bagwell : p. 117, 205. Peter Cassidy : p. 57, 61, 65, 67, 151. Gus Filgate : p. 34 (g), 41. Will Heap : p. 79, 82 (d), 95, 157. Gareth Morgans : p. 5 (d), 13, 25, 33, 37, 39, 83 (g), 103, 115, 141, 159, 161, 169, 185, 209. David Munns : p. 4 (g), 4 (d), 9, 21, 27, 31, 45, 47, 82 (g), 85, 107, 111, 145, 165, 171, 173, 182 (g), 193, 197, 199. Myles New : p. 2, 51, 55, 71, 77, 83 (d), 99, 121, 123, 124 (g), 124 (d), 133, 149, 153, 155, 167, 175, 181, 189. Myles New & Craig Robertson : p. 11. Elisabeth Parsons : p. 69. Lis Parsons : p. 7, 19, 23, 34 (d), 53, 89, 109, 119, 123 (d), 139, 143, 147, 163, 181 (d), 187, 195, 203. Michael Paul : p. 49, 127, 129. Craig Robertson : p. 5 (g), 29. Brett Stevens : p. 101, 137, 207. Roger Stowell : p. 35 (d), 43, 73. Yuki Sugiura : p. 59, 113. Simon Walton : p. 35 (g), 63. Philip Webb : p. 15, 17, 75, 81, 91, 93, 97, 105, 123 (g), 131, 135, 177, 179, 181 (g), 182 (d), 191, 201, 211, 213. Kate Whitaker : p. 87.

Édition originale
Ces recettes ont été publiées pour la première fois par BBC books,
une marque de Ebury Publishing, un département de The Random House Group Ltd.
© Recettes et photographies : BBC Good Food Magazines

Édition française
Direction de la publication : Isabelle Jeuge-Maynart et Ghislaine Stora
Direction éditoriale : Agnès Busière
Coordination éditoriale : Ewa Lochet
Suivi éditorial : Céladon éditions
Informatique éditoriale : Philippe Cazabet
Mise en page : Les PAOistes
Couverture : Émilie Laudrin

© Larousse 2014
ISBN : 978-2-03-590077-7
Imprimé en Espagne par Cayfosa Impresia Iberica
Dépôt légal : septembre 2014 - 314834/01 - 11028276 juillet 2014